Chères lectrices,

Voici revenu le temps des souhaits, des cadeaux et des bonnes résolutions. Aussi, et pour ne pas faillir à la tradition, je vous souhaite une excellente année 2004, une année pleine d'amour, de réussite, de bonheur, mais également une année embellie par la découverte de nouveaux livres passionnants. Et, comme mon plus grand plaisir est de vous offrir le meilleur de la lecture, je vous propose de découvrir ensemble les surprises que je vous réserve pour ce mois de janvier.

Parmi les romans de votre collection, l'un d'eux a certainement déjà retenu votre attention. Signé Emilie Richards — l'un de vos auteurs favoris —, il cache derrière sa couverture au « look » nouveau une histoire magnifique, celle de Lisa, jeune femme au passé obscur qui, après avoir traversé tête haute les pires épreuves de l'existence, retrouve la joie de vivre aux côtés de Jase, aussi riche qu'elle est pauvre, aussi sûr de lui qu'elle est désemparée, aussi solide qu'elle est fragile. Leur seul terrain d'entente est l'amour et, pour se rejoindre ils vont devoir se débarrasser des préjugés qui les encombrent et laisser de côté leur orgueil (Amours d'Aujourd'hui N° 855).

Tendresse, compréhension, dialogue… C'est la recette de l'harmonie dans l'histoire d'un couple et le coup de foudre n'en est que le premier chapitre. Témoins les héros de vos romans de janvier : Will et sa femme Becca, dont la grossesse, aussi inattendue que tardive, va perturber le couple presque jusqu'à la rupture (N° 856) ; Sarah et Rome dont l'histoire d'amour passionnée et fragile risque de tourner au drame à chaque instant (N° 853) ; David et Susan que le hasard a rapprochés et qui n'osent croire à leur chance (N° 854).

C'est leur désir d'entente qui les aide à surmonter les épreuves et à remporter ce défi magnifique : construire une vie à deux, fonder une famille, gagner le pari du bonheur… Tout simplemen

Bonne lecture et excellente année à to

ction

Double secret

Stephanie Rowe

M. J. RODGERS

Double secret

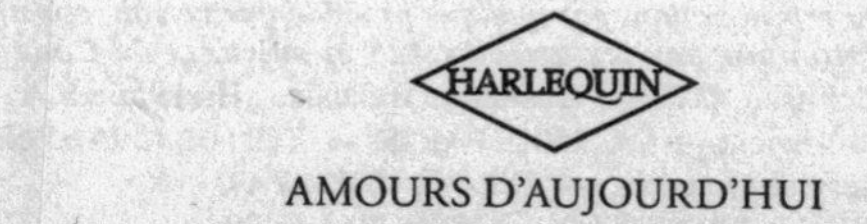

AMOURS D'AUJOURD'HUI

Cet ouvrage a été publié en langue anglaise
sous le titre :
BABY BY CHANCE

Traduction française de
JULIETTE BOUCHERY

Illustration de couverture
© PHOTODISC / GETTY IMAGES

83-85, boulevard Vincent-Auriol, 75013 PARIS — Tél. : 01 42 16 63 63
Service Lectrices — Tél. : 01 45 82 47 47
ISBN 2-280-07857-0 — ISSN 1264-0409

1.

Si on lui avait dit quelques jours plus tôt qu'elle envisagerait sérieusement d'engager un détective privé... Elle, la fille raisonnable, celle qui trouvait toujours une solution à chaque difficulté, celle vers qui chacun se tournait pour demander de l'aide... Je suis tombée bien bas, pensa Susan.

Chaque jour, en allant au journal, elle passait devant les bureaux de Chevallier-Blanc Investigations. « Faites appel à un Chevalier Blanc », disait l'enseigne, et ce slogan suggérait un tableau romantique : le guerrier en armure blanche sur son fier destrier, volant au secours d'une demoiselle en détresse. Un fantasme charmant — mais même si l'on pouvait ajouter foi aux légendes du Roi Arthur, même si des idéalistes en armure s'étaient souciés du sort des demoiselles au VIe siècle, aujourd'hui, l'on avait intérêt à se sortir d'affaire toute seule.

Pourtant, ce matin-là, en passant devant l'immeuble de la firme, elle ralentit malgré elle. Elle se trouvait dans une telle situation qu'il lui fallait croire en quelqu'un ; et elle voulait bien échanger tous les héros de légende contre un cynique chauve et bedonnant, du moment qu'il s'avérait bon détective.

Le numéro de téléphone figurait sur l'enseigne. Elle pourrait demander un rendez-vous. Oui ou non ? Ce qu'elle aurait à dire était si gênant, elle avait déjà tant de mal à admettre sa propre conduite — alors, essayer de l'expliquer à un inconnu...

Voyant une lumière au dernier étage, elle se rangea brusquement contre le trottoir. Les bureaux étaient toujours sombres à cette heure, cette lampe allumée lui faisait l'effet d'un phare dans la nuit, comme si le destin voulait lui signifier qu'une oreille attentive l'attendait là-haut.

Elle coupa le contact et resta immobile quelques instants à regarder la bruine brouiller son pare-brise. Quand on a la tête sur les épaules, on ne prend pas ses décisions de cette façon, se dit-elle ; mais puisqu'elle était ici, pourquoi ne pas monter ?

La porte de l'immeuble était ouverte, la boulangerie du rez-de-chaussée emplissait le foyer d'arômes exquis. Au lieu de savourer ces parfums comme elle l'aurait fait en temps normal, elle courut presque vers l'ascenseur et enfonça le bouton du dernier étage.

La cabine moderne monta dans un chuintement discret ; les portes s'ouvrirent sur un charmant palier en arc de cercle. Devant elle, une paroi entièrement vitrée dominait la petite ville de Silver Valley, brillant de toutes ses lumières sous le ciel lourd de l'aube.

Elle aurait aimé s'attarder devant ce panorama mais elle devinait que si elle n'entrait pas très vite, cette impulsion inhabituelle retomberait et son bon sens la renverrait dans sa voiture. Elle s'avança sur l'épaisse moquette qui étouffait ses pas ; risquant un regard par une porte ouverte, elle découvrit un bureau de chêne, une épaisse moquette vieil or, des tableaux aux murs et une seconde baie s'ouvrant sur la ville. Un homme était planté devant les vitres.

Un homme très grand, très solide. Une épaisse chevelure brune bien coupée, une nuque large, un dos musclé moulé dans un pull vert mousse, de longues jambes dans un pantalon noir. L'une de ses mains pendait à son côté, détendue ; l'autre tenait devant lui un objet invisible. La puissance qui se dégageait de lui, l'assurance tranquille de son attitude lui rappela instantanément le cèdre qui se dressait devant la fenêtre de sa chambre, quand elle était petite fille. Le cèdre dans lequel elle grimpait toujours pour pleurer. Son cœur se remplit d'un espoir subit.

David savourait son café en regardant les rues s'animer. C'était son moment préféré de la journée. Ici, dans l'ouest de l'Etat de Washington, la chape de nuages ne se lèverait pas avant le début de l'été. Les mois de grisaille ne le dérangeaient pas ; la pluie était une compagne familière et il avait appris à apprécier les choses familières. On pouvait tout affronter, du moment qu'on savait à quoi s'attendre.

Il touchait à la fin d'une longue et difficile affaire. Tout dépendait maintenant de l'entretien qu'il aurait dans quelques heures avec la fille en fugue de son client. Il devrait lui inspirer confiance tout en gardant une attitude juste… Il était venu au bureau très tôt ce matin pour préparer ce qu'il allait lui dire.

Il jeta un coup d'œil à sa montre. A peine 8 heures, la firme n'ouvrait officiellement ses portes qu'à 9 heures. Jusque-là, il serait seul et…

— Excusez-moi…

Il se retourna si brusquement que le café jaillit de sa tasse, et se heurta à un lumineux regard vert menthe. Une femme se tenait sur le seuil, une silhouette mince en tailleur et escarpins sévères, le front barré d'une frange châtain doré, le reste de sa chevelure rassemblé dans une tresse épaisse. Elle n'était pas maquillée, sa peau était à la fois crémeuse et lumineuse… elle devait avoir tout au plus vingt et un ans.

— Je suis désolée de vous avoir fait sursauter, dit-elle.

Sa voix grave et vibrante le surprit, car elle n'allait pas avec son apparence. L'inconnue s'avança d'un pas, hésitante.

— Si vous avez des serviettes en papier, je peux essayer d'éviter que cela ne tache le tapis…

— Non, dit-il brusquement.

Trop brusquement sans doute, mais sa présence le dérangeait, elle n'aurait pas pu tomber plus mal. Son visage dut trahir cette pensée car il la vit changer d'expression.

— J'ai mal choisi mon moment. Excusez-moi encore.

Elle s'en allait. Stupéfait, il s'entendit aboyer :

— Attendez !

Encore ce ton péremptoire ! Il respira à fond et, reprenant le contrôle de ses réactions, il trouva une voix courtoise pour lui dire :

— Entrez. Le secrétaire s'occupera de la moquette en arrivant. Je suis David Chevallier.

Posant sa tasse sur le bureau, il s'approcha d'elle, main tendue. Cette cliente devait le voir tel qu'il était vraiment : cordial, compétent, un bon enquêteur. Avant de prendre sa main, elle étudia son visage ; dans ses yeux, il lisait une interrogation mais quelle que soit la question, elle hésitait à la poser. Quand enfin elle vint à sa rencontre et posa la main dans la sienne, il fut surpris par la chaleur et la force de sa poignée de main.

— Je suis Susan Carter.

Le nom ne lui disait rien. Il ne connaissait pas tous les clients de la firme, mais ses frères rataient rarement une occasion de parler d'une jolie femme. A moins qu'il ne s'agisse d'une affaire à part, prise en charge par son père ou sa mère en guise de faveur spéciale ?

— Il y a un problème, monsieur Chevallier ? demanda-t-elle.

Il s'aperçut qu'il serrait toujours sa main. Gêné, il la lâcha et se dirigea vers son bureau pour saisir le téléphone. Plus vite il réglerait ce problème, plus vite il pourrait en revenir à son propre client.

— Qui s'occupe de votre affaire, mademoiselle Carter ? Je vais le contacter et lui dire que vous êtes ici.

— Personne ne s'occupe de moi. Je viens pour la première fois.

Il laissa retomber le combiné sur son support. Elle était montée à tout hasard, sans rendez-vous ? Pensait-elle que les détectives privés n'avaient rien de mieux à faire que de traîner au bureau en attendant le client ?

— Nous n'ouvrons qu'à 9 heures, dit-il en s'efforçant de rester détendu et cordial.

— Vous pensez que quelqu'un pourra me voir à ce moment-là ?

Voyant qu'elle n'avait pas encore compris, il fit une nouvelle tentative :

— Le secrétaire pourra consulter les agendas à son arrivée. Je doute qu'il reste un rendez-vous cette semaine.

— Bien sûr. Vous êtes débordés, comme tout le monde. J'ai vu votre lumière en passant et j'ai pensé…

Elle parlait très vite, déçue par sa réaction, ennuyée de l'avoir dérangé. Sa voix grave s'éteignit sans achever sa phrase, elle ne dirait pas ce qu'elle avait pensé ; il sentit qu'elle le faisait rarement. Elle serra la lanière de son sac.

— C'était une erreur stupide de ma part.

Son ton lui apprit qu'elle n'aimait pas commettre des erreurs, le pli de sa bouche qu'elle se montrait souvent dure avec elle-même.

— Je vous en prie, excusez cette interruption, conclut-elle en le regardant droit dans les yeux.

Ce n'était pas une phrase conventionnelle de politesse, elle lui demandait sincèrement pardon pour cette intrusion. Il vit alors ce qu'il n'avait pas su reconnaître plus tôt : les cernes sous ses yeux, sa fatigue. Elle avait des ennuis ; une impulsion subite l'avait poussée à monter. S'il l'obligeait à prendre rendez-vous, elle ne reviendrait sans doute jamais. Elle se retournait déjà vers la porte…

— J'ai quelques minutes, si vous voulez bien me dire en quoi je peux vous être utile.

Venait-il vraiment de prononcer ces paroles ? Tout aussi surprise que lui, elle se retourna à demi, le regard plein d'espoir.

— Vous me recevriez tout de suite ?

Se demandant s'il perdait la tête, il se dirigea vers la porte en demandant :

— Comment prenez-vous votre café, mademoiselle Carter ?

Susan serra la tasse chaude entre ses mains glacées. Ce café sentait bon ! Il l'avait préparé exactement comme elle l'aimait mais elle ne s'était pas encore hasardée à y goûter. Elle s'efforça de calmer son estomac rebelle.

Elle venait de remplir une petite fiche avec son adresse et son numéro de téléphone. Assis en face d'elle de l'autre côté du bureau, David Chevallier tenait cette fiche entre deux doigts. Son expression était sereine, ouverte ; carré dans son fauteuil de cuir noir, il plissait légèrement les yeux dans la vapeur de sa propre tasse, et tout dans son attitude projetait l'image d'un homme parfaitement à son aise. Et pourtant, Susan sentait d'instinct que ce n'était pas le cas.

Il n'était pas beau au sens habituel du terme, ses traits étaient trop accusés, sa peau tannée par la vie au grand air. Quel âge pouvait-il avoir, trente-cinq ans, trente-six ? Ses yeux, du même gris que les nuages froids de ce ciel de printemps, avaient une expression austère. Chaque fois qu'elle y plongeait son regard, elle avait l'étrange sensation qu'il se méfiait d'elle. D'ailleurs, elle avait vu son expression, à l'instant où il renversait son café ! Pendant une fraction de seconde, son visage avait exprimé autre chose que de la surprise : un trouble plus profond, très personnel.

Elle qui n'hésitait jamais à interroger ses proches sentit qu'il serait impensable de sonder cet homme. Surtout dans ce bureau intimidant avec son mobilier lourd et sombre, sans une photo, sans un objet personnel — à part le massif trophée sportif posé sur une étagère de verre.

— Le mieux serait peut-être que vous me parliez d'abord de vous, dit-il. Votre tailleur suggère que vous avez une profession ?

Soulagée de pouvoir commencer par un sujet facile, elle répondit :

— Je suis photographe. Je photographie les animaux sauvages.

— Vous travaillez en *free lance* ?

— Je fais partie de la rédaction de la revue *True Nature.*

Elle vit l'un de ses sourcils touffus se hausser.

— C'est une excellente revue.

— Merci, dit-elle avec la politesse exagérée dont elle se servait souvent pour masquer son irritation. Je trouve aussi.

— Depuis combien de temps êtes-vous chez eux ?

— Neuf ans.

— Ah ? Je n'aurais pas cru que vous ayez autant d'expérience. Je peux vous demander votre âge ?

Elle se redressa sur son siège pour tirer le meilleur parti de sa taille modeste.

— J'ai trente-deux ans. Depuis le huit du mois dernier.

— Vous dites ça comme si j'allais vous contredire.

— Je sais que la majorité des femmes sont enchantées qu'on les croie plus jeunes qu'elles ne sont, monsieur Chevallier. Ce n'est pas mon cas.

— Vous voulez bien m'expliquer votre cas ?

Sa voix était parfaitement neutre mais elle perçut tout de même une nuance de défi dans sa petite phrase.

— J'ai terminé mes études en tête de ma classe, avec une licence de photographie et une autre de sciences naturelles, dit-elle, consciente de la combativité de son attitude, malgré ses efforts pour rester neutre. Je suis entrée à la rédaction en tant que correctrice. Chaque fois qu'un poste de photographe se libérait, je postulais et chaque fois, c'était un autre, moins diplômé et moins compétent que moi, qui le décrochait.

— Et pourquoi, à votre avis ?

Elle posa son café, auquel elle n'avait toujours pas touché, sur le bureau devant elle.

— Je ne pense pas, monsieur Chevallier, je sais parfaitement ce qui se passait. J'ai une apparence trop juvénile et on me croit moins de compétence, quels que soient mon âge réel et mes capacités. J'ai dû me battre pour être prise au sérieux.

— Et vous avez pris des cours pour changer de voix.

Elle se tut un instant, saisie.

— Comment avez-vous pu savoir ça ?

— Peu de femmes de moins de cinquante ans ont une voix aussi grave que la vôtre.

Il dit cela tranquillement, sur le ton de l'évidence ; agacée, elle s'en voulut de s'être mise sur la défensive.

— Si votre air de jeunesse vous dérange à ce point, pourquoi ne pas vous maquiller, par exemple ?

— Ma peau ne veut rien entendre. Sur moi, le fond de teint tourne comme du lait caillé. Je suis obligée de me contenter de ce que la nature m'a fourni.

— La nature ne vous a pas brimée.

Il essayait sans doute d'être poli… Comment un homme aussi imposant, à l'air aussi indestructible, comprendrait-il les difficultés liées à une apparence trop fragile ? Il but une gorgée de café et la contempla quelques instants.

— Donc, vous avez enfin pu devenir photographe quand vous avez changé de voix et de patron.

— Il y a quatre ans, oui, répondit-elle, prise de court. C'est une déduction, une supposition ?

— Je fais rarement des suppositions, mademoiselle Carter. Il est très difficile de changer une première impression.

— Ce qui veut dire… ?

— Votre nouvelle voix n'aurait pas suffi à faire changer d'avis l'ancien patron. Il en fallait un nouveau pour vous voir telle que vous étiez.

— Vous semblez avoir une certaine connaissance de la nature humaine.

Posant brusquement son café, il se pencha vers elle.

— Si je l'applique à vous, je déduis que ce qui vous ennuie est un problème récent, qui vous empêche de dormir. Vous préféreriez garder ça pour vous. D'ailleurs, vous êtes assez réservée, malgré l'image d'ouverture que vous projetez. C'est une question de fierté pour vous de régler vos problèmes vous-même ; venir ici pour demander de l'aide, c'est une démarche très inhabituelle pour vous. Vous regrettez qu'il n'y ait pas eu moyen de faire autrement.

Elle le dévisagea, abasourdie. Elle n'avait pas l'habitude que l'on puisse lire en elle à livre ouvert, et l'exactitude de ses déductions lui donnait le frisson. Tranquillement, il se carra de nouveau dans son fauteuil.

— Ma clairvoyance ne doit pas vous mettre mal à l'aise. C'est pour en bénéficier que vous êtes venue vers moi.

— Je ne suis pas mal à l'aise, mentit-elle.

— En fait, nous sommes tous deux des observateurs. Votre expertise porte sur les images et les sons de la nature, la mienne sur le comportement humain. Si nous étions dans les bois, vous pourriez sans doute tout me dire de la vie d'un oiseau en entendant son chant ou en voyant la forme de son aile. Je me trompe ?

— Pour la plupart des espèces, admit-elle.

— Et je serais impressionné parce que je n'y connais rien. Nous sommes tous deux des professionnels, avec des talents particuliers. Maintenant, dites-moi comment mes talents peuvent vous servir.

Il avait raison. Au lieu de se crisper, elle devrait être heureuse d'avoir trouvé quelqu'un possédant ses capacités. Non seulement il l'avait amenée, en douceur, à se révéler, il avait lu en elle avec une finesse impressionnante. Le moment était venu de remettre son problème entre ses mains.

— Je voudrais que vous retrouviez un homme.

Il ouvrit un tiroir, sortit un bloc et un stylo.

— Son nom ?

— Todd.

— Nom de famille ?

— Je ne sais pas.

— Adresse ?

— Je ne sais pas.

Il leva les yeux.

— Que savez-vous à son sujet ?

— Il mesure une quinzaine de centimètres de plus que moi. Cheveux clairs, yeux clairs. Mince. Trente ans peut-être.

Il prit quelques notes avant de demander :

— Pourquoi voulez-vous que je le retrouve ?

— Je voudrais en savoir le plus possible à son sujet. Je l'ai rencontré à un séminaire au Centre Culturel il y a six semaines. Nous n'avons guère eu le temps de faire connaissance.

— Quel genre de séminaire ?

Elle se tut un instant avant de lâcher :

— Sur la connaissance de soi.

— Que cherchiez-vous à savoir ?

— Je ne vois pas le rapport.

— Je n'ai aucune idée préconçue à votre sujet, mademoiselle Carter. Je compte faire mon travail et ressortir de votre existence le plus rapidement possible. Pour vous, c'est un avantage : avec moi, vous n'avez pas à faire semblant.

— Je ne fais semblant de rien. Je ne vois pas de rapport entre ma raison d'aller à ce séminaire et la question pour laquelle je suis venue vous voir. Ecoutez, c'est très simple. J'aurais dû demander à Todd son adresse et son téléphone avant de le quitter. Je ne l'ai pas fait.

— Vous ne l'avez pas revu depuis le soir du séminaire.

— Non.

— Qu'avez-vous fait ensemble ce soir-là ?

— Nous avons… parlé.

— Et après avoir parlé ?

— Il m'a raccompagnée à ma voiture.

Il attendit un instant mais elle ne dit rien de plus.

— Une femme ne s'adresse pas à un détective privé pour retrouver quelqu'un qui n'a fait que parler avec elle et la raccompagner à sa voiture, murmura-t-il enfin. Dites-moi tout ce qui s'est passé.

Elle réfléchit un instant. Il avait raison, bien sûr : une femme ne choisirait pas un moyen aussi extrême de retrouver un homme après un contact si bref. Elle allait devoir tout lui révéler. D'ailleurs, quelque chose dans son attitude lui disait qu'il avait déjà deviné.

— Nous avons couché ensemble, dit-elle.

Son expression sereine ne changea pas.

— Il ne vous a pas dit son nom de famille ?

— Non.

— Et vous ne lui avez pas dit le vôtre.

— Non.

— Pensez-vous qu'il puisse vous chercher, de son côté ?

— Non.

— Cela ne vous… dérange pas ?

— Non.

— Et vous n'avez pas tenté de le retrouver au cours des six semaines depuis le séminaire ?

— Vendredi dernier, je suis retournée au Centre pour demander s'ils avaient gardé une liste des participants de ce séminaire. Ils m'ont expliqué qu'aucune inscription n'était nécessaire, et qu'ils n'avaient donc pas de liste.

— Cette réponse vous a semblé raisonnable ?

— Tout à fait. Moi-même, je me suis présentée sans inscription préalable.

Il la contempla quelques instants avant de poser la question suivante :

— Pourquoi me demandez-vous de retrouver Todd ?

— Comme je vous l'ai dit, je veux en savoir plus sur lui.

— Savoir quoi, par exemple ?

— N'importe quoi, tout ce que vous pourrez apprendre.

— Et pourquoi cela ?

Les questions se succédaient, lui laissant de moins en moins d'échappatoires. Elle ne voyait pas où il voulait en venir et commençait à s'énerver.

— Je veux juste quelques renseignements à son sujet, protesta-t-elle. C'est naturel de vouloir en savoir plus sur un homme avec qui on a été intime.

— Mademoiselle Carter, je vais avoir besoin d'une réponse plus directe.

Elle se força à croiser son regard. Pour être prise au sérieux, une femme était obligée de s'affirmer ; elle avait appris l'importance de maintenir ce contact des yeux, si elle ne voulait pas être traitée avec désinvolture.

— Je ne vois pas ce que vous cherchez à me faire dire.

— Je vous demande simplement la vérité, toute la vérité. Que comptez-vous faire, exactement, avec l'information que je vous donnerai au sujet de ce Todd ?

— J'essaierai de comprendre quel genre d'homme il est.

— Pardonnez-moi de vous dire cela, mais habituellement, une femme s'en préoccupe *avant* de coucher avec un homme.

Le malaise qui la tenaillait depuis le début de la discussion empira brutalement.

— Non, monsieur Chevallier, je ne vous pardonne pas d'avoir dit cela. Je ne vous demande pas d'approuver ma conduite, je vous demande uniquement votre aide pour retrouver Todd.

Jusqu'ici, le visage de David n'exprimait qu'une disponibilité attentive. Tout à coup, son expression se fit intense, concentrée.

— Et si ce que je découvre à son sujet vous plaît, vous lui direz que vous êtes enceinte de lui ?

Elle avala sa salive, protesta d'une voix tremblante :

— Vous sautez à des conclusions…

— Au contraire, repartit-il en s'adossant calmement dans son fauteuil, c'est la seule conclusion logique. Vous avez couché avec un inconnu, vous n'avez fait aucune tentative pour le retrouver pendant six semaines et tout à coup, vous êtes prête à engager un détective privé pour en savoir davantage sur lui. S'il vous avait transmis une maladie, vous chercheriez à le retrouver, lui, en personne — mais vous voulez uniquement des informations à son sujet. Conclusion, vous êtes enceinte, et vous pensez qu'il est le père.

Elle prit une respiration tremblante, lutta pour contrôler une montée de panique. Ce détective était effectivement très compétent. Beaucoup trop compétent.

— Il vaut mieux que vous compreniez les règles de base, dit-il. J'ai une licence à préserver et, plus important encore, j'ai une conscience. Je ne peux pas accepter une enquête si mon client n'est pas franc avec moi.

— Je ne vous ai pas menti.

— Les omissions reviennent au même. Vous ne comptiez pas me parler de votre grossesse ; est-ce que vous comptez en parler à Todd ?

— Je ne sais pas.

— Cela dépendra de ce que vous apprendrez à son sujet ?

— J'ai beaucoup de décisions à prendre. Avant de savoir comment agir avec lui, je dois mieux le connaître.

— Quand avez-vous appris que vous étiez enceinte ?

— Vendredi dernier.

— Jusque-là, vous ne vous doutiez de rien ?

— Je pensais avoir la grippe.

— Vous n'avez pas manqué de cycle ?

— Je n'ai jamais été régulière.

— Pourquoi pensez-vous que Todd est le père ?

— Il est la seule possibilité.

— Mademoiselle Carter, s'il y a d'autres faits importants au sujet de cette affaire dont ne vous m'avez pas parlé, j'ai besoin de le savoir tout de suite. Est-ce clair ?

— Oui.

— Y a-t-il quelque chose que vous voudriez ajouter ?

— Rien.

— Qui d'autre pourrait être le père ?

— Personne.

— Qui d'autre sait que vous êtes enceinte ?

— Juste le médecin.

— Vous n'en avez parlé à personne d'autre ?

— Personne.

— Personne d'autre n'a le droit de savoir ?

— Le *droit* de savoir ? répéta-t-elle, surprise. A part Todd peut-être, non, personne d'autre n'a le droit de savoir.

Il scruta son visage en silence. Elle attendit, stoïque, sentant sa nausée s'amplifier.

— Je suis désolé, mademoiselle Carter, je ne vais pas pouvoir m'occuper de cette affaire.

— Pardon ?

Il se leva.

— Vous ne serez pas facturée pour cette consultation.

Son visage était serein, sa voix calme, mais ses gestes abrupts trahissaient sa tension. Elle cherchait encore une réponse quand il marcha vers la porte du bureau, l'ouvrit d'un geste ample et lança :

— Je vous souhaite une bonne journée.

Le choc la fit blêmir. Elle venait de lui révéler les détails les plus intimes de sa vie, elle était allée jusqu'à lui demander son aide… et il la mettait à la porte. Prenant les accoudoirs de son siège dans ses mains glacées, elle se leva en tremblant, passa devant lui sans le regarder. Quand la porte se referma derrière elle, l'appel d'air lui fit l'effet d'un coup. Serrant les paupières, elle lutta de toutes ses forces contre une nouvelle vague de nausée — en vain. Elle atteignit de justesse les toilettes avant de vomir.

Quelle folie de s'adresser à une firme de détectives privés ! En tout cas, une chose était bien claire : elle s'était mise dans cette situation et elle allait devoir s'en sortir. Aucun chevalier blanc ne galoperait à la rescousse, elle ne pourrait compter que sur elle-même. D'ailleurs, il en avait toujours été ainsi. Elle allait devoir trouver la force d'affronter ce qui l'attendait et de faire ce qui devait être fait. Seule.

2.

— Le client est enchanté, David, lança Charles Chevallier en brandissant joyeusement un chèque. Convaincre une jeune fugueuse de revenir chez ses parents de sa propre volonté, ce n'est pas courant. Comment as-tu fait ?

Charles s'assit sur l'angle du bureau de son fils. Aussi grand que celui-ci et encore sportif à soixante-quatre ans, il avait le visage ciselé des hommes que l'on voit dans les publicités, un club de golf à la main.

— Son petit copain l'avait convaincue de tout quitter pour partir avec lui, répondit David. Elle se croyait amoureuse. Il a suffi de lui prouver qu'il couchait avec une autre fille.

— Prouver ? Comment ?

— Le petit crétin avait filmé la scène. Son plaisir, c'est de séduire des mineures et faire des vidéos de leurs ébats.

Charles secoua la tête, désapprobateur.

— Et pour lui, qu'est-ce que tu comptes faire ?

— Il a vingt et un ans. J'ai passé le dossier à la police et Jared fait le nécessaire. Je me suis juste assuré que la fille de notre client serait rentrée chez ses parents avant que la justice ne s'en mêle.

— Comme quoi c'est utile d'avoir un frère dans la police. Tu as pensé à tout, comme toujours. Alors pourquoi fais-tu cette tête ?

Refermant le dossier, David le fourra dans un tiroir.

— Je fais la tête, moi ?

— Tu as un souci ?

Les célèbres yeux bleu acier de Chevallier Père étaient braqués sur lui. Sous son apparence aristocratique, Charles avait beaucoup d'instinct et de ruse.

— Je pensais juste à une femme qui est passée hier matin, avant l'ouverture des bureaux.

— Tu as attrapé une cambrioleuse ? plaisanta son père.

— Il aurait mieux valu…

Le voyant si grave, Charles cessa de sourire.

— D'accord. Comment s'appelle cette femme ?

— Ça n'a aucune importance.

— Quelque chose à son sujet a de l'importance. Tu comptes me dire ce que c'est ?

David se posa sérieusement la question. Et s'il essayait d'expliquer ce qu'il avait ressenti ? Ce serait un moyen de réduire le bouillonnement de ses réactions à leur plus simple expression — de tenter d'y voir clair.

— Elle me demandait de retrouver un type avec qui elle a passé la nuit. Une seule nuit, et elle se retrouve enceinte.

— Inhabituel, opina Charles, mais où est le problème ?

— J'ai dû lui arracher chaque détail comme autant de dents de sagesse. Même quand je lui ai expliqué qu'elle devait se montrer tout à fait franche si elle voulait des résultats, elle a gardé pour elle des informations vitales.

— Par exemple ?

— Elle portait une alliance, mais elle n'a pas dit qu'elle était mariée. Ce n'est pas faute de lui avoir fourni des occasions de le faire !

Charles haussa les épaules.

— Elle était gênée, elle avait honte. Ecoute, ce genre de situation n'est pas particulièrement agréable, mais ça fait partie du boulot — et ce n'est écrit nulle part que tous les clients doivent nous plaire.

— Mais celle-ci n'aurait pas dû mentir…

Charles laissa échapper un long soupir.

— Ah, je comprends tout maintenant. Elle te plaît, justement !

Inutile de protester. Susan Carter l'avait effectivement attiré, dès le premier regard. Son manque de franchise et son alliance n'y changeaient rien. Il se sentait enfermé, pris au piège. Sautant sur ses pieds, il alla se planter devant la fenêtre pour contempler la grisaille du ciel.

— Depuis deux bonnes années, de jolies femmes sont passées par ce bureau chaque jour de la semaine sans m'arracher la moindre réaction.

— D'accord, quelque chose chez cette femme t'a touché. Pourquoi t'en vouloir ! Il fallait bien que ça arrive un jour. A mon avis, c'est tout simplement un signal, pour te dire qu'il est temps de redescendre dans l'arène.

— Mais pourquoi elle ! Ça ne tient pas debout.

— Fils, je n'ai encore jamais trouvé d'explication logique pour ce qui arrive à un homme quand il se trouve en présence d'une certaine femme. En tout cas, si elle te met si mal à l'aise, Richard n'a qu'à se charger de son enquête.

— Il n'y a pas d'enquête.

— Elle a changé d'avis ?

— C'est moi qui ai refusé l'affaire.

Se retournant à demi, il jeta un regard hostile au fauteuil vide où s'était assise la jeune femme.

— Cela ne te ressemble pas, murmura son père.

Il le savait trop bien ! Il se retourna vers la fenêtre et le panorama des rues mouillées. Au loin, la forêt grise entourait la ville ; à l'horizon, les Monts Olympic concentraient toute la clarté du crépuscule — mais il ne voyait que le visage défait de Susan quand il l'avait mise à la porte.

— Son mari la bat peut-être, ce serait une raison d'éviter de me parler de lui. A moins qu'il n'ait des problèmes sexuels et qu'elle ne se soit pas senti le droit de le révéler.

— Qu'est-ce que tu veux faire ?

— Je veux arranger ça.

Charles vint poser la main sur son épaule et le secoua affectueusement.

— Si c'est ce que tu veux, tu trouveras un moyen.

— Content de voir que l'un de nous au moins a confiance.

— Je te connais, David. Quand tu t'es fixé un but, rien ne t'en détourne. Tu détermines méticuleusement les étapes à franchir et tu suis ton itinéraire jusqu'au bout.

David se mit à rire.

— Ça te rendait fou quand c'était mon tour de choisir l'itinéraire pour nos vacances.

— Moi, je suis plus aventureux, j'aime me laisser surprendre ! répliqua Charles avec entrain. Tu dois bien avouer que nous sommes tombés sur des endroits stupéfiants grâce à ma méthode. Des coins qu'aucun voyage planifié n'aurait découverts. Un avantage que ta mère n'a jamais apprécié à sa juste valeur, je dois dire.

— Tu nous perdais toujours, répliqua David en souriant.

— Et toi, tu nous menais toujours à bon port. Par le chemin le plus court, et dans les temps. Fichu frimeur.

Ils éclatèrent de rire, puis Charles jeta un coup d'œil à sa montre.

— Parlant d'être à l'heure, je ferais bien d'y aller. Je dois encore passer par le bureau de Jack voir s'il m'a trouvé les infos que je lui ai demandées avant d'aller prendre ma voiture au garage.

— Tu es à pied alors ? Tu veux que je te dépose ?

— Merci, Jack a déjà proposé. A demain !

Après le départ de son père, David put réfléchir plus posément. Pourquoi ne pas se renseigner un peu sur Susan Carter et son mari ? S'il comprenait mieux leurs rapports, il saurait peut-être pourquoi elle avait couché avec un autre. Il avait vraiment envie de le savoir ; elle ne lui faisait pas l'effet d'une femme capable de tromper son mari à la légère. En même temps… il avait amplement démontré par le passé qu'il ne comprenait rien aux jolies femmes.

Susan déverrouilla la porte de sa maison et entra d'un pas las, chargée de provisions, serrant maladroitement la liasse du courrier sous son coude. La nausée était une chose mais cette fatigue débilitante qui ne la lâchait plus…

— Chou, je suis rentrée ! lança-t-elle en refermant la porte du talon.

Rien ne bougea dans la maison silencieuse ; il devait être dehors, dans le jardin. Elle traversa la jungle de plantes vertes qui envahissait son entrée, laissa choir ses clés dans la mâchoire ouverte d'un ours de bois sculpté grandeur nature, et lui passa la lanière de son sac au cou. Puis elle se retourna pour presser du pied la patte d'une grosse corbeille à papier en forme de grenouille. Celle-ci ouvrit une gueule énorme.

— Chou ? répéta-t-elle machinalement, en extrayant la seule enveloppe de courrier véritable du monceau de publicités.

Glissant l'enveloppe entre ses lèvres, elle jeta le papier à recycler à la corbeille ; la grenouille l'avala avec un coassement joyeux. Distraitement, elle lui tapota la tête, reprit son enveloppe et l'ouvrit tout en passant au living. Le journal local lui envoyait une copie de l'annonce qu'elle venait de passer. Elle la relut d'un œil critique, cherchant à visualiser la réaction de l'homme qu'elle recherchait.

« Todd. Susan aimerait te parler de votre rencontre, il y a six semaines. Très important ! Ecris-lui à cette référence. »

C'était clair et concis. Si Todd lisait le journal, il comprendrait sûrement que l'annonce s'adressait à lui. Elle aurait préféré en savoir davantage sur son compte avant de le revoir mais il lui fallait des réponses. Apparemment, elle allait devoir s'adresser à lui pour en obtenir.

— Mon Chou, où es-tu ?

Cette fois, un petit terrier blanc d'Ecosse dévala l'escalier à sa rencontre. Elle s'accroupit en lui ouvrant les bras. Bondissant de la dernière marche, il fonça vers elle en agitant la queue avec enthousiasme. Elle vit qu'il tenait une botte dans sa gueule.

— Comment es-tu entré dans ma penderie ? protesta-t-elle.

Après une résistance acharnée, il finit par lâcher sa proie. Perplexe, elle se remit sur pied en retournant l'objet entre ses mains. La taille était trop grande, il y avait de la boue séchée sur la semelle — ce n'était pas une des siennes. Elle jeta un regard à la ronde, repéra le verre de vin vide sur la table basse. La bouteille n'était pas en vue, ce qui n'était pas bon signe. Levant les yeux vers l'escalier en colimaçon, elle trouva l'autre botte sur la plus haute marche.

D'un pas las, elle grimpa l'escalier, Chou sur ses talons. En entrant dans la chambre, elle vit tout de suite la bouteille vide posée sur la table de nuit. Bondissant sur le lit, Chou trotta vers l'oreiller, sur lequel se répandait une longue chevelure noire et bouclée. Susan se laissa tomber sur le bord du matelas, tendit la main et secoua doucement le pied nu qui émergeait de sous la couette.

— Ellie ?

Pour toute réponse, elle n'obtint qu'un gros soupir.

— Ellie a un problème ? demanda Susan à son chien.

Chou se retourna vers la femme endormie et se secoua vigoureusement.

— Aucune idée, hein ? Viens, on va faire du café.

Ellie Tremont s'accoudait à la table de la cuisine, voûtée sur sa tasse de café noir, les larmes ruisselant sur ses joues roses. La meilleure amie de Susan avait le visage d'un chérubin, le corps d'un mannequin et un manque total de jugement quand il s'agissait des hommes.

— C'est un cordon-bleu et elle connaît les performances de tous les joueurs de l'équipe des Seahawks sur le bout des doigts, sanglota-t-elle. Comment est-ce que je pourrais me mesurer à une femme pareille ?

Susan posa la main sur son bras.

— L'amour n'est pas une compétition sportive, El'.

— J'étais tellement sale après les photos sur le port de Townsend que j'ai voulu passer à l'appartement pour me doucher avant de retourner au journal. Et qu'est-ce que j'ai trouvé ? Cette femme dans la cuisine, avec rien d'autre sur elle qu'un sourire satisfait.

— Elle t'a rendu service, El'. Maintenant, tu sais à quoi t'en tenir.

— Pourquoi est-ce que je n'étais pas assez bien pour Martin !

— Tu as toujours été trop bien pour lui. N'oublie pas qu'avec lui, une soirée romantique à deux, c'est quand tu rapportes une pizza et de la bière et que tu le sers pendant qu'il reste sur le canapé à regarder le match à la télé.

Elle vit son amie se redresser un peu.

— Je parie que c'est un amant lamentable, reprit-elle, encouragée. Les hommes qui trichent ne pensent qu'à eux, ils se fichent de ce que ressent leur partenaire.

— J'aurais dû me douter de quelque chose quand elle est devenue son patron. C'est sa position préférée : sous une femme qui fait tout le travail !

Susan éclata de rire et Ellie se tamponna les yeux.

— Je devrais être contente d'être débarrassée de lui. Ce n'est rien qu'un minable.

— Bravo !

— Tu es une bonne copine, soupira Ellie avec un pâle sourire.

— Il faut en être une pour en reconnaître une autre.

— Oui, mais tu ne viens jamais me déballer tes problèmes comme je fais avec toi. Ça ne te viendrait jamais à l'esprit de sortir avec un minable. D'ailleurs, tu n'es sortie avec personne depuis la mort de Paul. Tu ne pourras jamais le remplacer, il était parfait.

Elle se mit à boire son café. Oubliant le sien, Susan contempla l'alliance à son doigt en pensant à tout ce qu'elle représentait. La veuve courageuse et fidèle, qui honorait toujours le merveilleux souvenir de son mari défunt… Que dirait Ellie si elle lui parlait de sa nuit absurde avec Todd ? Et de sa grossesse ! Sans doute ne la croirait-elle même pas. D'ailleurs, elle-même avait peine à y croire…

Chou poussa un grognement impatient. Levant les yeux, elle le trouva campé sur son derrière, sa gamelle entre les dents, en train d'agiter frénétiquement ses pattes avant.

— Oh, mon Chou, je suis désolée ! J'ai oublié l'heure.

Sautant sur ses pieds, elle ouvrit le réfrigérateur, en sortit un petit morceau de steak grillé, retira le film alimentaire qui l'entourait et le laissa choir dans le bol de Chou. Celui-ci le posa à sa place habituelle avec un soupir audible de soulagement.

— Tu as raison de choisir un chien plutôt qu'un homme, observa Ellie en regardant le petit animal s'attaquer à son dîner. Au moins, on peut compter sur leur loyauté.

— Oui, soupira Susan en se laissant retomber sur sa chaise. Mais parfois, je rentre à la maison et je le trouve au lit avec ma meilleure amie.

— Il est toujours plus câlin que Martin. Je devrais prendre un chien. Au moins, s'il court la gueuse, je pourrais le faire castrer.

Les oreilles de Chou se dressèrent ; poussant un gémissement horrifié, il saisit sa viande et s'enfuit par la petite porte battante à sa mesure donnant sur le jardin.

— Il ne rate pas grand-chose, s'écria Ellie en éclatant de rire. Au fait, j'ai raté quelque chose, cet après-midi ?

— Rien qui ne puisse attendre demain.

— Tu as encore couvert mes arrières.

— Tu aurais fait la même chose pour moi.

— Sauf que tu n'en as jamais besoin.

— On ne sait jamais, El'.

— Oh, si, je sais. Même quand on était au lycée, et que mon dingue de père et ta malade de mère se passaient les nerfs sur nous, tu ne te laissais jamais démonter.

— J'avais déjà une grande habitude des insultes.

— C'est exactement ce que je veux dire ! Tu sais faire front. Tu n'irais jamais t'installer chez un crétin, tu ne te laisserais jamais traiter comme une moins que rien.

— Toi non plus ! Tu as filé droit chez moi quand tu as compris qu'il te trompait. Tu as eu trop de respect pour toi-même pour rester là-bas une seconde de plus.

Ellie poussa un gros soupir.

— Je vide une bouteille de vin, je m'effondre sur ton lit pour cuver ma cuite, et tu trouves encore moyen de me faire sentir fière de moi.

— Tu peux être fière de toi. Tu tiens toujours parole, c'est pour ça que tu es toujours prête à croire ce que ces pauvres types te racontent. Un jour, tu comprendras à quel point tu es quelqu'un de bien. Et ce jour-là, je veux bien parier que tu trouveras un homme qui t'appréciera vraiment.

— J'aimerais bien, mais si peu d'hommes sont prêts à s'engager. Tu as eu tellement de chance de trouver Paul…

Susan réprima un soupir. C'était toujours comme cela avec Ellie : elle entendait ce qu'elle voulait entendre et ne tenait aucun compte du reste. D'ailleurs, elle-même faisait probablement la même chose sans s'en apercevoir.

— Alors, qu'est-ce que tu fais demain ? demanda son amie.

— Je prends la voiture pour filer de l'autre côté du Sound. Un employé du Camp Long nous a prévenus qu'un de leurs renards rouges apportait du gibier à une femelle, il pense qu'elle a peut-être une portée. Si j'arrive à prendre les petits, ça ferait un bon article pour le mois prochain.

— Je suppose que tu partiras à l'aube ?

— Oh, bien avant. Les renards rouges chassent la nuit. Si je suis en position juste avant le lever du jour, j'aurai peut-être la chance de voir rentrer le mâle.

— C'est ce que je craignais.

— Qu'est-ce que tu craignais ?

— Je ne veux pas retourner chercher mes affaires chez Martin ce soir. J'espérais que je pourrais rester ici avec toi.

— Ce n'est pas un problème, si ça ne t'ennuie pas que Chou te rejoigne sur le canapé quand je partirai. Il a horreur de rester seul quand je pars tôt.

— Ça ne m'ennuie pas de partager mon lit avec un garçon comme lui.

— Alors c'est réglé. Il y a du ragoût de poulet au frigo, vingt-trois comédies dramatiques en cassettes, et de la glace caramel chocolat de chez Ben et Jerry au congélateur.

Ellie éclata de rire.

— Tu connais les meilleurs remèdes. Dis-moi, pourquoi est-ce que je craque toujours pour des imbéciles ?

Elle ne voulait pas vraiment entendre la réponse, Susan le savait. L'unique fois où elle s'était hasardée à lui dire ce qu'elle pensait, cela avait failli briser leur amitié. Par moments, le meilleur cadeau qu'on puisse faire à une amie était de se taire.

— Une fille doit bien pêcher ce qui passe à sa portée, répondit-elle vaguement.

— Dans ce cas, moi, je pêche dans le bassin des piranhas.

Elle n'était pas loin du compte !

— Au moins, tu n'as pas lâché ton appartement cette fois. C'est plutôt bon signe ! Alors, je le fais chauffer, ce ragoût ?

— Tu peux garder ton ragoût ! Apporte juste la glace et une cuillère.

David abaissa ses jumelles avec un soupir. L'aube se levait, il soufflait un petit vent froid et humide et cela faisait une demi-heure qu'il ne sentait plus ses pieds. Et pourtant, là-bas, Susan restait parfaitement immobile, allongée sur la plate-forme d'observation aménagée dans un arbre, son téléobjectif braqué sur le terrier de renard de l'autre côté de la clairière.

Comment faisait-elle pour tenir le coup sans gants, sans bonnet pour protéger ses oreilles ? Elle devait être glacée !

« Une sacrée professionnelle », avait dit Greg Hall, son éditeur. Cette description, il l'avait obtenue en téléphonant à la rédaction, en se présentant comme un lecteur assidu — d'ailleurs, il aimait beaucoup cette revue. Pour s'assurer qu'il serait crédible, il était tout de même allé à la bibliothèque municipale consulter les derniers numéros, pour découvrir que les photos les plus percutantes étaient immanquablement signées par Susan Carter.

Au fil de ces derniers jours, il en avait beaucoup appris sur elle, allant de surprise en surprise. Lui qui se vantait de ne jamais juger ses clients, de ne jamais sauter à des conclusions, il s'était trompé sur toute la ligne.

Dans un sens, ses erreurs étaient compréhensibles : les jeunes veuves ne portent généralement plus leur alliance quand leurs maris sont morts depuis près de trois ans ! Pourtant, il sentait bien que cela n'excusait pas son attitude.

Il lui devait des excuses. Après avoir envisagé de laisser un message sur son répondeur ou de l'appeler au journal, il s'était décidé à lui parler en personne. Pénible, mais plus correct. Il ne l'ennuierait pas en proposant de reprendre son affaire (d'ailleurs elle ne voudrait certainement plus de lui), mais il lui donnerait la carte de son frère Richard. Il voulait s'assurer qu'elle obtiendrait l'aide dont elle avait besoin, c'était la seule façon pour lui de redresser la situation.

Combien de temps parviendrait-elle à rester allongée sur ces planches, trempée et gelée jusqu'aux os ?

Après pas loin de trois heures d'immobilité absolue, elle se mit enfin en mouvement. Toujours à travers ses jumelles, il la vit ranger son appareil photo dans un étui, glisser l'étui dans sa grosse sacoche de matériel. Se servant d'une corde fixée à une branche de l'arbre, elle fit descendre la sacoche au niveau du sol ; une fois son équipement en sécurité, elle entreprit de descendre de son perchoir.

Inquiet, il la regarda se lover autour du tronc. Il fut un peu soulagé en repérant les tiges métalliques plantées dans l'arbre pour servir de prise — mais cela ne l'empêcha pas de se crisper. Ses gestes étaient si malhabiles, elle oscillait d'un côté, puis de l'autre. Quel folie de ne pas s'être frictionné les membres pour rétablir la circulation avant la descente, elle pourrait se faire du mal…

Son pied manqua la dernière tige, sa main lâcha prise et elle s'abattit sur le sol de la forêt. Lâchant ses jumelles, il sauta à bas de son propre perchoir et fonça, droit à travers le sous-bois, sautant les buissons, giflé par les branches. Le souffle court, il déboucha dans la clairière et la trouva allongée sur le dos, les yeux clos, le visage pâle. S'agenouillant près d'elle, il chercha l'artère à sa gorge. Haletant, il dut se concentrer pour percevoir quoi que ce soit… enfin, un faible battement rythmique naquit sous ses doigts. Sa poitrine se libéra d'un coup, il se remit à respirer.

Il vit ses cils trembler, puis s'ouvrir ; un pli perplexe se grava entre ses sourcils.

— D'où sortez-vous ? demanda-t-elle.

Il nota avec satisfaction la fermeté de sa voix. Sans se préoccuper de sa question, il tâta rapidement ses bras à la recherche d'une fracture.

— Qu'est-ce que vous fabriquez ? demanda-t-elle encore en se raidissant un peu.

Quand il voulut toucher ses jambes, elle se redressa brusquement en écartant ses mains d'une claque.

— Pas de ça !

Se retenant de sourire, il s'assit sur ses talons et regarda la couleur revenir dans ses joues.

— On dirait que vous n'avez rien, dit-il, satisfait d'entendre que sa propre voix restait parfaitement neutre.

Roulant sur le flanc, elle se mit à ramper vers l'arbre en lâchant par-dessus son épaule :

— Pourquoi est-ce que j'aurais quelque chose ?

— Parce que vous venez de tomber d'un arbre.

— Je ne suis pas tombée, j'ai lâché prise exprès. Il n'y avait qu'un mètre de chute et je savais que la mousse entre les osmanthus me ferait un matelas.

Des osmanthus ? Parlait-elle des buissons qui encadraient l'amas de mousse sur lequel ils se trouvaient ?

— Pourquoi avez-vous lâché prise ?

— Parce que je le voulais.

Accrochée à l'arbre, elle s'efforçait de se remettre sur pied mais ses jambes ne la soutenaient pas encore. Agacé, il dit :

— Il suffirait de frotter vos muscles…

— Je sais me débrouiller, merci beaucoup. Qu'est-ce que vous fichez ici ?

— Je suis Eclaireur et je veux décrocher une médaille !

— Vous n'avez pas trouvé de petites vieilles qui avaient besoin d'aide pour traverser la rue ?

Elle avait une façon saisissante de vous regarder droit dans les yeux…

— Ce sont les scouts qui ont des médailles pour ça. Nous, les Eclaireurs, nous devons nous contenter de photographes revêches qui tiennent absolument à tomber des arbres.

Sans chercher à cacher son irritation, il s'accroupit près d'elle, lui allongea les jambes et se mit à les frictionner. A ce stade, il se fichait d'avoir son accord. Cette fois, elle ne repoussa pas ses mains. Il sentait toujours son regard sur lui.

— Quand allez-vous me dire ce que vous faites ici ? demanda-t-elle.

— Quand allez-vous me dire pourquoi vous ne vous êtes pas préparée correctement à descendre de cet arbre ?

Comme elle ne répondait pas, il releva les yeux et vit qu'elle le foudroyait du regard. La colère lui allait bien. Il se concentra de nouveau sur ses jambes, fermes et souples sous ses mains. Ce n'était pas du tout une corvée de les frotter.

— Ça suffit, dit-elle au bout d'un moment.

Il la lâcha, se remit sur pied et tendit la main pour l'aider à faire de même. Sans en tenir compte, elle s'accrocha aux fiches métalliques de l'arbre et réussit à se mettre debout. Il la vit vaciller et s'appuyer lourdement au tronc.

— Vous avez le vertige, s'alarma-t-il.

Son visage avait perdu toutes ses couleurs, elle pressait son front contre l'écorce mais son ironie restait intacte.

— Quelle finesse dans le diagnostic !

— Je parie que vous n'avez rien mangé ce matin, tempêta-t-il. Je vous prenais pour une professionnelle. Vous devriez bien savoir qu'on ne se lance pas dans un marathon pareil sans rien dans le ventre !

— Détective privé, Eclaireur et mère poule — vous avez des talents très divers.

— En plus, vous êtes sûrement déshydratée !

— Vous n'avez pas une femme à vous à harceler ?

Livide, elle ne renonçait toujours pas à lui tenir tête.

— Si j'avais une femme, et si elle se comportait d'une façon aussi stupide, je...

Sa tirade s'arrêta net en la voyant basculer mollement. Il n'eut que le temps de l'attraper au vol ; sa tête roula sur son épaule, un soupir ténu lui échappa. Elle venait de s'évanouir.

Son visage aussi blanc que les fleurs délicates imprimées sur le col de son anorak, sa frange humide de brume… une minute entière passa avant qu'il ne parvienne à calmer son cœur emballé. Quelle femme insupportable — et quel imbécile il était de se préoccuper de son sort ! Se retournant à demi, il saisit son sac de matériel. Comment faisait-elle pour transporter un poids pareil ? Accrochant la courroie à son épaule, il la souleva dans ses bras et s'engagea sur la piste.

Susan ouvrit lentement les yeux. Elle était allongée dehors, sous un pin ; la brume d'un matin couvert se lovait entre les branches épaisses. Sous ses doigts, elle sentait une étoffe de laine douce.

— N'essayez pas de vous lever, ordonna une voix d'homme derrière elle.

Cette voix, elle la reconnaissait. La mémoire lui revint brutalement : elle avait eu le vertige en descendant du poste d'observation. Pendant qu'elle reposait sur la mousse au pied de l'arbre, David Chevallier était apparu de nulle part pour la harceler.

Elle se redressa trop brusquement, tout bascula mais elle réussit à rester assise. Quand la terre et le ciel eurent repris leurs positions respectives, elle découvrit qu'elle reposait, enroulée dans un plaid rouge, à côté d'une route de terre.

— Je vous avais dit de ne pas vous lever, lança David, les sourcils froncés.

Il se tenait à quelques pas d'elle, à côté un pick-up Ford argenté, et versait un liquide sombre et fumant d'un Thermos dans un quart. Elle jeta un coup d'œil à la ronde. Ils n'étaient plus dans la clairière, elle ne connaissait ni cet endroit, ni cette voiture.

— Comment est-ce que je suis arrivée ici ? demanda-t-elle.

Il posa le Thermos à l'arrière du véhicule et s'approcha d'elle, le quart à la main.

— Vous vous êtes évanouie.

Elle ? Ce serait bien la première fois.

— Vous m'avez portée ?

Il s'accroupit près d'elle et lui tendit la tasse.

— Tenez. Buvez ça.

L'odeur du breuvage lui parvint : du chocolat chaud. Secouant la tête, elle s'écarta un peu.

— Non, merci.

Il la foudroya du regard.

— Si vous ne vous mettez pas bientôt quelque chose dans le ventre, vous allez encore vous évanouir !

— La dernière chose dont j'aie besoin en ce moment serait quelque chose dans le ventre, articula-t-elle.

— Faites-moi confiance. Vous vous sentirez mieux.

— Faites-moi confiance. Je vomirai.

Ecartant son quart, il la regarda attentivement. Pendant un instant, elle crut voir une expression de gêne sur son visage — puis l'expression rébarbative reprit sa place.

— La nausée du matin ? demanda-t-il.

Elle hocha affirmativement la tête.

— Je n'avale rien avant midi et même à ce moment-là, ce n'est souvent qu'un aller-retour.

Il se laissa tomber sur la couverture près d'elle.

— Voilà pourquoi vous n'aviez rien mangé, soupira-t-il.

— Très bien, vous recommencez à déduire.

Il lui lança encore un regard torve avant de se détourner. Il était vraiment doué pour cette expression réprobatrice, pensa-t-elle ; il avait dû beaucoup s'exercer.

Tandis qu'il sirotait le chocolat versé pour elle, elle remua les bras et les jambes. Un peu courbatus sans doute, mais indemnes. Une fois de plus, elle chercha à se repérer. Ce serait plus facile si elle pouvait voir le soleil — mais on le voyait si rarement par ici.

— Nous sommes loin du poste d'observation ?

— Deux kilomètres, un peu plus peut-être. Si vous vous inquiétez pour votre matériel, je l'ai mis dans le pick-up.

Deux kilomètres ! Une sacrée distance pour transporter une femme de cinquante-deux kilos et dix-huit kilos d'équipement photo. Manifestement, ses muscles n'étaient pas uniquement pour la frime. Et son inquiétude à son sujet semblait sincère ; il avait même eu la gentillesse d'emporter son matériel. Discrètement, elle étudia son profil au nez droit, aux lèvres bien dessinées. Il n'était pas mal, en fait. Pas beau à franchement parler mais pas du tout aussi désagréable qu'elle l'avait pensé.

Il tourna la tête et trouva son regard posé sur lui.

— Vous vous sentez mieux ?

— Mieux, oui, avoua-t-elle. C'est gentil de le demander.

Il se hâta de détourner les yeux. Cela le mettait donc mal à l'aise quand elle le remerciait ? Qu'avait-elle donc fait pour le hérisser à ce point ?

— Il serait temps de répondre à ma question, dit-elle d'une voix parfaitement calme et raisonnable. Que faites-vous ici ?

3.

David avait un certain nombre de choses à lui dire et en premier lieu, ces fameuses excuses à faire. En même temps, il trouvait difficile d'avouer qu'il s'était trompé alors qu'elle se trouvait si près de lui, les yeux fixés sur les siens avec cette assurance déconcertante !

— Je suis venu vous parler, dit-il.

Puis il se remit à étudier les arbres qui bordaient la route. Le silence se prolongeant, elle demanda :

— Comment saviez-vous que je serais ici ?

— Je suis détective privé.

Elle se tut encore quelques instants, sans cesser de le dévisager. Il se demanda ce qu'elle voyait — puis se dit qu'il valait mieux pour lui ne pas le savoir.

— De quoi vouliez-vous me parler ? demanda-t-elle enfin.

Il fourra la main dans sa poche… mais au lieu d'en sortir la carte de son frère, il prit l'annonce découpée ce matin dans le journal.

— Ceci ne suffira pas pour que Todd se manifeste.

Elle jeta un bref regard à la coupure et se remit sur pied.

— Ce que je fais pour contacter Todd me regarde, monsieur Chevallier. Maintenant que nous avons fait le tour du sujet, quelle direction dois-je prendre pour retourner au refuge ?

Il leva la tête vers elle. Elle venait de lancer ces deux phrases d'une voix assez glaciale pour le geler sur place, et elle avait encore le cran de le regarder droit dans les yeux. Une sacrée bonne femme.

Il tendit la main.

— Le refuge est par là, à un kilomètre et demi. Votre voiture est dans la direction opposée, à peu près à la même distance. Ce serait plus sensé de vous diriger vers votre voiture.

Elle le toisa :

— Vous savez quel est le meilleur atout d'une photographe comme moi ?

Déconcerté, il chercha tout de même une réponse :

— Un bon coup d'œil ?

— Une vessie à toute épreuve.

Il ouvrit des yeux ronds, incapable de trouver une réponse.

— Malheureusement, le fait d'être enceinte peut vaincre la vessie la plus obligeante. Je vous demanderai donc de tourner le dos. Au revoir, monsieur Chevallier.

Elle le regardait avec une satisfaction palpable, savourant sa gêne. Il se hâta de pivoter sur lui-même, drainant son quart de chocolat pour se donner une contenance. Il l'entendit s'éloigner dans un froissement de buissons.

Rêveur, il contempla le ciel qui semblait s'éclairer un peu. Cette femme n'était pas comme les autres. Pas de rouge à lèvres ou de vernis à ongles — sous son anorak, il avait entrevu un pull à col roulé assez lâche, un peu délavé, d'une couleur rose tendre. Et puis, ce regard droit, cette combativité…

Derrière lui, il l'entendit reprendre pied sur la route. Il se retourna et elle hésita un instant avant de s'approcher. Ses mouvements avaient une grâce discrète, un subit rayon de soleil allumait dans sa longue tresse des reflets roux et dorés. Chez elle, rien de calculé, mais une sensualité naturelle à vous couper le souffle. En même temps, vu la situation, il faudrait être un imbécile pour tenter la moindre avance. Il n'était pas un imbécile.

Elle s'immobilisa devant lui.

— Vous n'étiez pas obligé d'attendre.

— J'ai pensé que vous préféreriez retourner à votre voiture en voiture, s'embrouilla-t-il. Montez, je vous emmène.

— La promenade me fera du bien.

Il secoua les épaules avec désinvolture.

— Comme vous voudrez. Mais si vous vous évanouissez de nouveau, vous pourriez vous faire du mal. Ou même tomber sur votre appareil photo.

Il avait vu de quels soins elle entourait son matériel ; son volte-face immédiat ne le surprit pas.

— Vous avez raison, monsieur Chevallier.

Ils ne parlèrent pas pendant le trajet. Bientôt, il se rangeait derrière sa voiture, sautait à terre pour lui ouvrir sa portière — elle descendit sans l'attendre.

— Vous n'êtes pas venu ici simplement pour me dire que ma petite annonce ne fonctionnerait pas, n'est-ce pas ?

— Non, avoua-t-il.

Debout devant lui, les yeux levés vers les siens, elle attendait la suite. Maintenant que le moment était venu, il sut qu'il ne pourrait pas se contenter de s'excuser d'avoir refusé son affaire sans explication, et de lui tendre la carte de son frère.

— Je me renseignerai sur Todd, dit-il.

Incapable de soutenir son regard trop limpide, il lui tourna le dos, sortit la sacoche du pick-up, se dirigea vers l'autre voiture. Sans commentaire, elle le devança pour déverrouiller la portière.

— Pourquoi ? demanda-t-elle une fois son matériel chargé.

— Vous voulez toujours vous renseigner sur lui, n'est-ce pas ?

— Je veux dire : pourquoi avez-vous changé d'avis ?

— Je termine une enquête aujourd'hui, je suis libre de mon temps. A quelle heure rentrez-vous ce soir ?

— Vers 18 heures, je suppose, mais...

— Je passerai à 19 heures.

Sans lui laisser le temps de réagir, il se dirigea à grands pas vers son pick-up, se glissa derrière le volant et démarra très vite, sans se retourner une seule fois. Pendant le long trajet autour du bras de mer que l'on appelle le Puget Sound, il ne cessa de se féliciter de sa décision. Le fait de repasser cette affaire à Richard ne tenait pas debout ! Aujourd'hui, avec Jared, son frère inspecteur de police, il bouclerait le dossier d'accusation contre le petit salaud qui séduisait, filmait et abandonnait des mineures. Richard serait encore pris par sa propre enquête pendant une semaine au moins ! De plus, il connaissait déjà la situation. Ce serait beaucoup plus professionnel de cette façon.

Et puis, son père avait raison : si Susan l'attirait, cela indiquait simplement que la période de chasteté qu'il s'était imposée tirait à sa fin. Bien entendu, il restait impensable de lui faire des avances. Jamais il ne profiterait d'une femme dans sa situation et de toute façon, elle était sa cliente, et un détective privé ne s'impliquait jamais personnellement avec une cliente. C'était la règle de base.

Susan était soulagée qu'il ait accepté de retrouver Todd ; il était manifestement très bon détective mais… que c'était contrariant qu'il vienne chez elle ce soir ! Elle n'invitait pas d'hommes chez elle. D'ailleurs elle ne l'avait pas invité, il avait imposé ce rendez-vous.

Elle ne voulait pas le voir envahir son espace privé ! Malheureusement, quand elle téléphona à son bureau, elle ne put changer le rendez-vous. Un secrétaire l'informa, d'une voix cordiale mais assez sèche, que M. Chevallier n'était pas à la firme et qu'on ne pouvait pas le joindre.

Son humeur ne s'améliora pas quand elle découvrit qu'après son affût interminable, elle n'avait que deux clichés passables. La circulation du soir fut épouvantable et quand elle se gara devant chez elle, il était un peu plus de 18 h 30.

Elle rentra chez elle au galop, de plus en plus irritée. Elle travaillait énormément, elle avait besoin de ses soirées pour décompresser. Chevallier serait là dans moins d'une demi-heure, l'heure à laquelle Chou et elle dînaient habituellement ! Il ne s'attendait tout de même pas à ce qu'elle lui prépare quelque chose ? Avec lui, on ne savait jamais.

— Chou ! Je suis rentrée !

Aboyant joyeusement, il se précipita dans ses bras. Dès qu'elle serra contre elle son petit corps frétillant, son agacement s'évapora. Sans ce compagnon, ces dernières années auraient été insupportables.

Elle se remit sur pied, alluma la lumière… et s'aperçut que le museau et les pattes de Chou étaient couverts de boue. Il recommençait à faire des trous dans le jardin. Elle aussi avait de la boue partout, jusque dans sa frange. C'était cela, l'amour, pensa-t-elle avec un soupir. Des complications et du ménage à l'infini. Pourquoi les mâles aimaient-ils tant se salir ? Laissant son sac et ses clés à l'ours, elle prit le petit chien sous son bras.

— On passe à la douche tous les deux, mon grand.

Chou ne serait jamais sec à 19 heures et quant à elle… Elle avait horreur d'être en retard, même quand elle n'avait pas fixé l'horaire elle-même. Oh, et puis les hommes étaient rarement à l'heure, elle avait sans doute son temps. En tout cas, une chose était sûre : s'il lui demandait quelque chose à manger, elle lui tendrait le sac de croquettes du chien.

*
* *

David sonna à la porte à 19 heures précises. Les fenêtres étaient éclairées, un chien aboyait à l'intérieur et pourtant, personne ne venait. Il laissa passer une minute entière avant de sonner de nouveau. Presque instantanément, la porte s'ouvrit à la volée et un petit terrier se précipita dehors. Il avait lui-même deux chiens et connaissait bien l'étiquette à suivre lorsqu'on pénètre sur leur territoire : il resta donc immobile et se laissa renifler. L'animal décrivit un cercle autour de lui, remua la queue et lança un aboiement bref en guise de bienvenue. Il se pencha pour lui tapoter la tête.

Le petit chien était sympathique et même affectueux, quoiqu'un peu humide. Il frotta sa tête contre sa main, exigeant davantage qu'une simple tape. Il s'exécuta, lui grattant les oreilles et le dos et obtenant en réponse un gémissement de bonheur.

— Erreur tactique, dit la voix de Susan. Il ne va plus vous laisser tranquille.

De sa position accroupie, il ne vit d'abord que ses pieds nus. Puis son regard remonta le long de ses chevilles élégantes, ses jambes fines et ses genoux charmants. Quand il arriva à la chair ferme de ses cuisses, le rebord d'un peignoir éponge s'interposa, gâchant le paysage.

Le peignoir était fermement noué à la taille et croisé haut sur la poitrine. Une serviette blanche cachait ses cheveux. Elle n'était pas heureuse de le voir, l'expression de sa bouche le montrait clairement ; pourtant, quand son regard tomba sur sa main qui caressait toujours le chien, il vit son visage d'adoucir et elle recula pour le laisser entrer.

— Chou vous tiendra compagnie pendant que je m'habille.

Il traversa la jungle de l'entrée, notant au passage le plancher luisant, l'ours de bois et la corbeille en forme de grenouille. Quand elle passa derrière lui pour refermer la porte, il capta l'odeur de sa peau fraîchement lavée — et ressentit une secousse au niveau du ventre.

— Le living est par là, dit-elle avec un geste désinvolte de la main. Je vous rejoins dans quelques minutes.

Pieds nus, elle gravit en un instant l'escalier en colimaçon et disparut au premier. Energique, agile, il ne voyait plus chez elle aucun signe de la maladresse physique qui l'avait inquiété ce matin. Il se sentit soulagé ; il ne voulait plus s'inquiéter pour elle.

Il avait décidé de la rencontrer chez elle pour se faire une idée plus claire de sa personnalité. C'était vital pour lui de comprendre ses clients, et le foyer d'une femme était un portrait fidèle — surtout une femme vivant seule. Il sentait qu'il avait encore beaucoup à apprendre sur elle.

En entrant dans le salon, il se heurta de plein fouet à la puissance des photos. Une véritable exposition s'étalait du sol au plafond, des photos lui donnant l'impression d'être projeté au cœur de la nature. Un aigle majestueux rasait une cascade bleue ; chaque gouttelette sur ses plumes brillait comme un diamant. Un troupeau d'élans broutait une herbe couverte d'une fourrure de rosée à la lumière de l'aube. Des chats sauvages galopaient dans une forêt enneigée, un ours brun s'arc-boutait vers un saumon remontant furieusement un torrent émeraude. La pièce vibrait de mouvement, de beauté sauvage et de vie.

Il remarqua à peine le mobilier. Un canapé banal, un fauteuil, une table basse et deux ou trois petits tapis dans des tons discrets, vert, gris ou sienne. Rien ne distrayait l'œil des scènes éclatantes sur les murs. Lentement, il hocha la tête en comprenant que ces images magnifiques n'étaient pas de simples prouesses techniques ; elles reflétaient le cœur de l'artiste.

*
* *

Elle aurait dû savoir que David serait cette exception : un homme qui arrive à l'heure. Elle se mit à frotter ses cheveux humides avec une serviette, sachant que c'était futile : vu l'épaisseur de ses cheveux, et dans ce climat humide, il faudrait une demi-heure sous le séchoir pour obtenir un résultat. Elle se contenta donc de sécher sa frange de son mieux et enroula le reste dans un foulard vieil or noué comme un turban autour de sa tête. Puis elle sortit un survêtement propre et l'enfila rapidement. Ce n'était pas parce qu'il portait un pantalon bien coupé et une chemise « habillée » sous son pull bleu qu'elle allait se mettre en frais. Elle était chez elle, elle avait le droit de se mettre à l'aise. Pas question de tout changer parce qu'il avait eu l'impolitesse de s'inviter. Pourtant, au lieu de prendre ses vieilles pantoufles comme elle l'aurait fait en temps normal, elle enfila ses baskets neuves.

En descendant, elle trouva David Chevallier sur le canapé avec Chou. Sa tête était tournée vers le chien, elle ne voyait pas son expression mais ses épaules étaient détendues, ses longues jambes confortablement étendues devant lui. Elle resta sur le seuil sans rien dire, à les regarder sans s'annoncer. Malgré elle, son irritation fondait à vue d'œil. Il était si gentil avec Chou ! Un homme capable de se montrer aussi charmant avec son chien ne pouvait pas être complètement mauvais.

— C'est un bon chien de garde ? demanda-t-il tout à coup.

Il avait donc senti sa présence ? Elle s'avança.

— Si on veut. Il accueillerait un cambrioleur avec tant d'enthousiasme que je l'entendrais certainement.

Il leva la tête vers elle avec une expression amicale, elle vit le coin de sa bouche se retrousser un instant. L'amorce d'un sourire peut-être ? Elle attendit, très curieuse de voir un sourire sur ce visage de granit — mais il n'y eut rien de plus.

— Il me mordille les doigts, observa-t-il. Je crois qu'il a faim.

— C'est l'heure où nous mangeons, répondit-elle, assez soulagée de pouvoir aborder la question.

— Ne changez rien à vos habitudes.

Elle secoua la tête, dépassée par tant de sans-gêne.

— Chou ! appela-t-elle. Viens ! Ta gamelle !

Le petit chien ne se le fit pas dire deux fois. Aboyant d'excitation, il bondit du canapé et fila dans la cuisine. Elle le suivit plus lentement, sortit son steak du frigo, le déposa dans le bol qu'il lui présentait. Derrière elle, Chevallier entra dans la pièce. Habilement, Chou posa son bol sur le carrelage et se mit à dévorer.

— Du steak, observa-t-il. Chou a de la chance !

— Chou a une maîtresse qui l'aime, répondit-elle.

— C'est bien ce que je voulais dire. Prenez votre manteau. Vous avez le choix entre un repas italien, chinois, ou les spécialités du grill. Les trois sont à vingt minutes en voiture.

— Je ne suis pas habillée pour sortir, protesta-t-elle, surprise.

Sa taille imposante, ses épaules massives semblaient à l'étroit dans sa petite cuisine ; le plafonnier allumait des reflets dans son épaisse chevelure brune.

— Je vous trouve très bien comme vous êtes.

Son expression restait indéchiffrable, mais sa voix était sincère. Elle comprit qu'il avait toujours eu l'intention de l'inviter à dîner. Pourquoi n'avait-il rien dit ! Elle aurait pu enfiler une tenue correcte. Qu'il était donc agaçant !

Lui tournant le dos, elle ouvrit un placard.

— J'allais me faire une soupe et une salade, dit-elle. Il y en a assez pour deux si vous avez faim.

Tendue, elle attendit sa réponse. Le silence se prolongea si longtemps qu'elle regretta l'impulsion subite qui l'avait poussée à l'inviter à dîner avec elle.

— Je fais la salade, dit-il.

Ce n'était pas une question mais une affirmation. Elle s'ébroua, irritée — pourtant, une petite voix raisonnable dans sa tête suggérait qu'il cherchait uniquement à se rendre utile.

Derrière elle, elle le sentit s'avancer vers le réfrigérateur, puis la bouffée d'air frais quand il ouvrit la porte. Il prenait beaucoup de place, elle n'aimait pas se sentir bousculée et n'appréciait surtout pas le soupçon qui lui venait : et s'il était en fait un homme agréable, prévenant ? Cela balaierait toutes ses idées préconçues.

Une soupe et une salade, avait-elle dit — quelque chose de simple. Il comprit vite qu'ils n'avaient pas la même définition de la simplicité en la voyant ajouter des tranches de pommes et de poires, des raisins et enfin des amandes grillées aux crudités qu'il venait de mélanger dans le saladier. Au lieu de préparer une vinaigrette, elle parsema le tout d'un fromage très sec en copeaux. Le résultat était surprenant mais absolument délicieux.

De son côté, elle avait mis un bouillon de poule à mijoter et ajouté un assortiment de légumes du printemps : pointes d'asperges, oignons, ail, petits pois, épinards, avec de tendres bouchées de poulet revenues à la poêle et assaisonnées de gingembre et de poivre. Les saveurs se mêlaient à merveille et elle servit cela avec un gâteau de maïs tout chaud.

Il avait prévu de l'emmener au restaurant. Comment deviner qu'elle proposerait de préparer un repas ? En fait, c'était beaucoup mieux ainsi, et pas seulement parce que le repas était exquis : en la regardant s'activer dans sa petite cuisine, il venait de découvrir son sens de l'ordre et de l'organisation. Il apprenait aussi ses préférences. Elle se préoccupait de sa santé, les fruits et les légumes tenaient la plus grande place dans son alimentation. Pour elle, chaque détail avait son importance, et elle avait beaucoup de concentration.

Ils mangèrent à la table de sa cuisine, recouverte d'une nappe à carreaux. Il y avait une petite salle à manger à côté mais il devina qu'elle y entrait rarement : il ne voyait que peu de photos aux murs, alors que les cloisons de la cuisine en étaient couvertes. Celles-ci lui en apprirent encore davantage que celles du living. Ici, il n'y avait que des bébés : une biche faisant téter son faon, une ourse jouant avec ses oursons jumeaux, un minuscule oiseau-mouche suspendu, protecteur, au-dessus de ses oisillons. Dans l'autre pièce, les scènes vibraient de vitalité ; ici, c'était la douceur, la tendresse et le charme adorable des tout-petits.

Le repas terminé, tout en l'aidant à débarrasser la table, il dit enfin :

— Il y a quelques points que j'aimerais aborder avec vous.

— Très bien, dit-elle en le précédant dans le living.

Elle se blottit dans le fauteuil, il s'installa en face d'elle sur le canapé. Tout de suite, Chou bondit sur les coussins près de lui et poussa sa main de sa truffe, réclamant encore des caresses. Incapable de résister, il obtempéra — mais alors même qu'il souriait au petit chien blotti contre lui, il ne cessait de penser à la femme silencieuse qui lui faisait face. Plus que jamais, il voulait saisir la raison pour laquelle elle était venue le trouver.

Car elle n'était pas femme à coucher de façon désinvolte avec un inconnu ! Et pourtant, elle l'avait fait et il devait savoir pourquoi.

Susan regarda Chou rouler sur le dos, pattes tendues, en extase. A voir le visage de l'homme, il avait succombé au charme irrésistible de son chien. Elle décida que cela excusait beaucoup de choses — et peut-être même son intrusion chez elle ce soir.

— Votre mari est mort il y a deux ans et dix mois, dit-il tout à coup, rompant le silence. Vous êtes allée au Centre Culturel il y a six semaines pour assister à un séminaire sur le travail de deuil, et pas sur la « connaissance de soi ».

Il avait donc fait des recherches. Curieux ! Pourquoi s'était-il décidé à l'aider, en fin de compte ? Pourquoi parlait-il avec tant de douceur ?

— Réussir à gérer un deuil, c'est une forme de travail sur soi, dit-elle en s'efforçant de ne pas se mettre sur la défensive.

— Je ne cherche pas à vous piéger, seulement à comprendre. Je sais trop bien que la perte d'un être aimé peut avoir un effet dévastateur. Ce séminaire vous a aidée ?

— Non, dit-elle en baissant les yeux sur son alliance.

— Dites-moi comment il est mort.

— Qu'est-ce que ça change ?

— Je ne sais pas si cela changera quoi que ce soit, mais j'aimerais que vous me le disiez.

Sa sincérité évidente la prit de court. Il semblait vraiment tenir à connaître la vérité.

— Paul était pompier, dit-elle. Il était courageux, dévoué, il travaillait énormément. Quand il est rentré ce jour-là, il était très fatigué, mais il y avait un match à la télé qu'il ne voulait pas manquer, alors il ne s'est pas couché tout de suite.

Les images étaient restées très nettes. Elle revit Paul au moment où il se laissait tomber sur le canapé en caleçon, une cannette de bière à la main… le sourire qu'il lui avait lancé par-dessus son épaule nue, le début de barbe sur ses joues, ses cheveux blonds, comme toujours en retard d'une coupe.

— J'ai mis une lessive au sèche-linge, je l'ai embrassé et je suis partie au supermarché, reprit-elle. Quand je suis rentrée, la rue était bloquée par les camions des pompiers. Il n'y avait plus rien, plus de maison… plus de Paul.

Cette partie était beaucoup moins claire dans son souvenir. Cela valait sans doute mieux.

— Comment l'incendie a-t-il pris ? demanda-t-il.

— Je ne sais pas au juste. Paul s'était endormi sur le canapé. C'est là qu'ils l'ont… retrouvé.

Ce qui restait de lui en tout cas. On lui avait épargné les détails. Elle contempla ses chaussures en s'efforçant de ne rien visualiser.

— Je suis désolé de vous faire revivre cela, dit-il.

Elle leva les yeux, trouva son regard fixé sur elle. Sa façade impénétrable s'était évanouie, son expression était chaleureuse. Comment avait-elle pu le trouver froid ?

— Vous avez vu un thérapeute, les premiers temps, pour vous aider à surmonter le traumatisme ?

— Je n'ai jamais été du genre à me tourner vers les autres pour demander de l'aide. J'étais sûre de pouvoir surmonter mon chagrin, et je l'ai fait. J'ai accepté la mort de Paul, j'ai repris le fil de ma vie. Tout allait bien — et puis, il y a quelques mois, j'ai commencé à faire des rêves.

— Quel genre de rêves ?

— Très clairs, très nets. Il paraît qu'on rêve toutes les nuits mais c'est la première fois que je me souviens des miens.

— Vous pouvez me les décrire ?

— Je suis avec Paul et nous faisons des choses ordinaires, des choses de tous les jours. Je lui apporte de la citronnade pendant qu'il creuse une tranchée pour le circuit d'arrosage du jardin, et tout à coup il me fait un plaquage de foot et nous roulons dans la boue en riant. Ou alors, nous sommes sur des montagnes russes très impressionnantes et je m'accroche à lui en hurlant de toutes mes forces. Ou alors nous faisons des châteaux de sable sur la plage, comme nous l'avons fait pendant notre lune de miel. Chaque fois, je le vois si clairement que quand je me réveille, je m'attends à le trouver près de moi.

— Et il n'y est pas, compléta-t-il après un instant de silence.

Elle se concentra sur une de ses photos préférés, l'aigle frôlant la cascade, ses ailes puissantes luisant au soleil, sa tête orgueilleuse dressée. *Paul, mon pauvre amour, pourquoi est-ce que je rêve encore à toi ?*

— J'ai regardé le chagrin en face, je l'ai mis derrière moi. Maintenant, il y a ces rêves et je ne comprends pas pourquoi.

— Que vous ont-ils suggéré au séminaire ?

— Nous étions censés écrire une lettre d'adieu.

— Vous en êtes venue à bout ?

— Pas vraiment, avoua-t-elle. Je suis restée là à contempler la page blanche. Autour de moi, les autres griffonnaient à toute allure. Je me suis levée pour partir et je me suis heurtée à Todd.

— Il était assis près de vous ?

Elle secoua la tête.

— Non, il était tout au fond, près de la porte. Je marchais vite vers la sortie, je ne l'ai pas vu se lever et je l'ai heurté.

— Et vous êtes partis ensemble.

— Il m'a proposé d'aller à un bar qu'il connaissait pour boire un verre. Sur le moment, ça semblait une bonne idée.

— Vous vous souvenez du nom du bar ?

— Non. Il y avait une enseigne au néon mais la moitié des lettres étaient éteintes. Je me souviens juste que la serveuse était gentille et la musique triste.

— Vous avez donc bu un verre, murmura-t-il de cette nouvelle voix, si apaisante.

C'était devenu facile de lui parler. Elle poussa un soupir.

— Je ne bois jamais, je n'aime pas l'alcool. Le goût est affreux, ça vous grille les neurones et j'ai besoin de tous les miens. La dernière fois que j'avais bu quelque chose, c'était une gorgée de champagne à mon mariage.

— Mais ce soir-là, vous avez bu plus d'une gorgée.

— Oh, oui. Après quatre cocktails, je ne sentais plus grand-chose, et c'était bien l'effet recherché. J'ai raconté à Todd comment j'avais perdu Paul, il m'a raconté comment il avait perdu sa mère. Elle venait de mourir deux mois plus tôt, dans un accident d'avion. Ils étaient très proches l'un de l'autre. Lui non plus n'avait pas réussi à écrire sa lettre d'adieu. Je m'en suis moins voulu de mon échec et j'ai beaucoup apprécié qu'il me l'ait dit. Je l'ai apprécié, lui.

— Suffisamment pour en arriver à des rapports intimes ?

— Oh, non. Le sexe était bien la dernière chose à laquelle je pensais. C'est juste arrivé parce que...

Pour l'amour du ciel, comment lui expliquer ce qu'elle ne comprenait pas elle-même ? Et pourquoi tenait-elle à s'expliquer ? D'ordinaire, elle se fichait de ce que les hommes pouvaient penser d'elle mais curieusement, elle commençait à tenir à la bonne opinion de celui-ci.

— Quoi que vous puissiez me dire, ce sera utile, dit-il.

— Il m'a raccompagnée au Centre culturel un peu après 23 heures, dit-elle lentement, sans savoir jusqu'où elle poursuivrait son récit. Il n'y avait plus que ma voiture sur le parking. Todd était arrivé en retard pour le séminaire et il s'était garé ailleurs, dans une petite rue. Nous n'étions ni l'un ni l'autre en état de prendre le volant. Il m'a proposé son portable pour appeler un taxi mais je ne pouvais pas laisser ma voiture. Tout mon matériel était à l'intérieur.

— Alors vous avez passé la nuit dans la voiture ?

Elle approuva de la tête.

— J'ai toujours un sac de couchage dans le coffre, ça fait partie de mon équipement. Todd m'a aidée à m'installer et je me suis endormie instantanément. Et j'ai fait un de ces rêves incroyablement réalistes, avec Paul. Je le sentais près de moi, je l'entendais ronfler…

Elle se tut, serrant son alliance qui brillait doucement sous la lampe.

— Vous pouvez me dire ce qui s'est passé, dit-il.

Il y avait dans sa voix une telle qualité d'acceptation qu'elle se sentit tout à coup libre de continuer.

— Quand Paul ronflait, je lui embrassais la joue et il se réveillait, se tournait sur le côté et se rendormait tout de suite. Quand je l'ai embrassé cette nuit-là, il s'est réveillé et il m'a embrassé aussi. Puis il s'est mis à me faire l'amour.

— Seulement, ce n'était pas Paul, dit-il à voix basse. Quand vous en êtes-vous rendu compte ?

Elle aurait tant aimé pouvoir dire « après » ! Elle se l'interdit : elle avait suffisamment honte de son geste sans y ajouter la honte d'un mensonge.

— J'étais encore un peu ivre mais j'ai fini par m'apercevoir que quelque chose était différent. J'ai ouvert les yeux, j'ai vu le visage de Todd et j'ai compris qu'il avait dû s'effondrer près de moi — lui non plus ne doit pas avoir l'habitude de boire. Quand je l'ai embrassé, il a dû penser…

— Que vous le désiriez, compléta David quand sa voix s'éteignit malgré elle.

Elle poussa un gros soupir.

— Il ne cessait de répéter mon nom à voix basse. J'ai fermé les yeux et je me suis laissée faire.

— Et le lendemain matin ?

— Quand je me suis réveillée, il n'était plus là. C'était un gros soulagement, je n'aurais pas pu le regarder en face. En fait, je ne sais pas pourquoi j'ai couché avec lui.

— Ce n'est pas toujours facile de savoir pourquoi on fait certaines choses.

Elle leva les yeux et vit qu'il la regardait toujours avec cette expression sereine, pleine de respect. Il ne la jugeait pas, et elle lui en était infiniment reconnaissante… Seulement, elle se jugeait elle-même.

— J'ai toujours su pourquoi je faisais les choses. Je n'ai pas toujours été enchantée par mes propres motivations mais au moins, je savais. Le fait de ne pas savoir… c'est très dérangeant pour moi.

— Je connais la sensation, je suis passé par là, dit-il en se remettant sur pied. Je vous remercie pour le dîner, et aussi pour votre franchise.

— Vous partez ? demanda-t-elle, stupéfaite.

Il hocha la tête.

— Je sais que ce que je vous ai demandé ce soir n'était pas facile. Ce que vous m'avez dit était important, cela m'aidera dans mes recherches. J'espère que cela compense ce que cette séance a eu de pénible. Je vous téléphonerai demain.

Il se dirigea vers la porte d'entrée. Elle le suivit et sourit à demi en le voyant se pencher pour gratter une dernière fois les oreilles de Chou. En fin de compte, il était très gentil, pas du tout aussi rébarbatif qu'elle l'avait cru. Le moment était peut-être venu de lui poser la question qui la tourmentait depuis leur première entrevue, aux bureaux de la firme.

— Qu'est-ce qui vous déplaît chez moi ?

Il se redressa, surpris.

— Que voulez-vous dire ?

— La première fois que nous nous sommes vus, j'ai bien senti que quelque chose chez moi vous dérangeait.

Il la dévisagea en silence. Elle s'aperçut qu'ils étaient tout près l'un de l'autre et dut résister à l'envie de reculer.

— Il n'y a rien chez vous qui me déplaise, murmura-t-il. Bonne nuit.

Il ouvrit la porte sur la nuit, sortit et la referma derrière lui. Le souffle coupé, elle contempla cette porte close, encore sous le choc. Elle ne parvenait pas à le croire et pourtant… *Il n'y a rien chez vous qui me déplaise* — quand il avait dit cela, elle avait bien entendu l'intensité de sa voix. Il était attiré par elle ! Son cœur se mit à battre plus fort et une réaction se leva au plus profond d'elle… une réaction qu'elle n'avait pas ressentie depuis très, très longtemps.

4.

Etendu dans son lit, David pensait à tout ce qu'il avait appris ce soir au sujet de Susan. En découvrant un peu plus tôt qu'elle était veuve, il s'était rendu à la caserne à laquelle Paul Carter avait été affecté. Au mur, une photo du souvenir montrait un jeune homme blond aux yeux très clairs, assez mince et de taille moyenne. Ce qui correspondait tout à fait à la description de Todd.

Elle s'était rendue à ce séminaire pour tenter de résoudre le problème qui la faisait rêver à son mari défunt ; au lieu de quoi, sous l'influence dévastatrice de la culpabilité et de l'alcool, elle avait rencontré Todd — qui souffrait comme elle, qui avait su l'écouter, et qui ressemblait suffisamment à Paul pour déclencher certaines réactions en elle.

Il comprenait pourquoi elle l'avait autorisé à lui faire l'amour… mais comment situer les motivations de Todd ? Souffrait-il réellement ou s'agissait-il d'un opportuniste qui l'avait fait boire pour profiter d'elle au moment où elle serait le plus vulnérable ? Si jamais il découvrait que ce Todd avait fait cela à Susan…

Regonflant son oreiller à coups de poing, il se retourna sur le flanc. Non. Quoi qu'il découvre, il n'agresserait pas ce type. C'était juste une enquête parmi d'autres, et il était un homme civilisé, cultivé, sachant contrôler ses pulsions. Toutes ses pulsions.

Quand elle lui avait demandé ce qui lui déplaisait chez elle, il avait été très tenté de lui montrer à quel point elle lui plaisait, au contraire. Il s'était contrôlé, il avait quitté la maison sans la toucher. Même s'il s'était assis un peu trop près d'elle, même s'il avait trop souvent plongé son regard dans le sien.

Un nouveau round avec l'oreiller, un nouveau saut de carpe. Il n'aurait pas dû faire ça. Si seulement il aimait seulement son physique… malheureusement, il adorait aussi sa façon de dire ce qu'elle pensait, son refus de battre en retraite quand elle estimait avoir raison. Son talent extraordinaire et la fierté qu'elle en tirait. La tendresse avec laquelle elle prenait soin de son chien et de sa maison.

Jetant l'oreiller au pied du lit, il poussa un soupir explosif, roula sur le dos et contempla le plafond. Quels que soient les aspects d'elle qui l'attiraient, il ne pouvait tout simplement pas s'intéresser à elle. Il était temps de prendre son frère Jack au mot en acceptant une de ces sorties à quatre qu'il ne cessait de lui proposer. Grâce à son travail dans le milieu du spectacle, Jack connaissait, souvent de façon intime, certaines des plus belles femmes du petit écran. Comme son père le lui disait quelques jours plus tôt, il était temps pour lui de recommencer à sortir. Avec les copines de Jack, inutile de prendre des gants.

Demain matin, il s'efforcerait de retrouver la piste de Todd. Grâce à la franchise de Susan, il tenait plusieurs pistes. Demain soir, il laisserait Jack lui présenter quelqu'un qui ne serait pas une cliente, qui ne porterait pas le deuil de son mari, et qui ne tiendrait pas à le voir en face d'elle au petit déjeuner le lendemain matin. Cette fois, les règles du jeu seraient différentes. Il éviterait d'engager ses émotions.

*
* *

— Susan, viens ! cria Paul en la tirant vers les montagnes russes. Allez, ça va être génial !

Susan leva les yeux vers l'énorme enseigne de néon qui annonçait le saut de la mort. Cela ne lui semblait pas particulièrement génial.

— Les montagnes russes ne m'amusent pas, tu sais bien. J'ai mon problème d'oreille interne, j'aurai mal au cœur…

— Suz', il faut absolument que tu viennes, cajola-t-il. C'est ce qui se fait de mieux, une vraie décharge d'adrénaline.

— Mon adrénaline me va très bien comme elle est, dit-elle très fermement. Merci, mais c'est non.

— C'est vrai ? demanda-t-il en l'attirant contre lui. Voyons ça…

Quand il fourra tendrement le nez dans son cou, elle ferma les yeux, s'abandonna contre lui. Sans avertissement, il la souleva dans ses bras, la déposa sur le siège et bondit à côté d'elle. La barre de sécurité s'abaissa immédiatement, les bloquant à leurs places.

— Paul Carter, tu n'es qu'un sournois, protesta-t-elle.

Il éclata de rire, les yeux brillants.

— Tu ne résistes jamais quand je t'embrasse dans le cou.

Les wagonnets commençaient l'ascension des rails. Elle sentit son estomac se crisper nerveusement. Elle ne pouvait plus descendre ! Lentement, leur wagon grimpa vers le sommet vertigineux, bascula… ils plongeaient à près de cent kilomètres à l'heure, étaient jetés d'un côté, de l'autre dans des virages ébouriffants. C'était si violent qu'elle sentait sa nuque craquer, ses yeux sortir de leurs orbites ; elle avait mal aux mains à force de s'accrocher à la barre. Les tempes battantes, l'estomac en révolte, elle ne se souvenait pas d'avoir jamais éprouvé une telle terreur.

A côté d'elle, Paul riait, les joues rouges, l'air si heureux, si plein de vie. En se réveillant, elle se tourna instinctivement vers son côté du lit… et se souvint de tout.

Paul n'était plus là.

Pourquoi, pourquoi cela lui arrivait-il maintenant ? Elle avait fait son deuil de cet homme merveilleux, elle s'était autorisée à ressentir le chagrin de sa mort, avait accepté la nécessité de reprendre le fil de son existence. Elle était allée de l'avant. Pourquoi, maintenant, devait-elle faire ces rêves si incroyablement réels, qui la tiraient en arrière ?

Installée à sa table éclairante, Susan examinait les négatifs de ses photos du matin quand la voix de Barry Eckhouse brisa sa concentration.

— J'ai monté tes tirages avec les miens.

Elle se retourna avec un sourire pour prendre l'enveloppe.

— Enfin ! Il me les fallait d'urgence. Merci, Barry, je t'embrasserai tout à l'heure.

— Ça fait trois cents soixante-douze baisers que tu me dois.

Barry ne faisait pas réellement le compte ; cela faisait des années qu'ils se promettaient mutuellement des baisers.

Barry avait cette expression blasée et ultra cool que seuls quelques beaux mâles réussissaient à assumer sans se rendre insupportables. Il était l'un de ses meilleurs amis. C'était grâce à son soutien si, trois mois auparavant, Greg lui avait attribué l'un des trois postes si convoités de photographe en chef.

Elle prit un instant pour parcourir les tirages qu'il lui apportait.

— Je les avais demandés avant-hier. Pourquoi sont-ils toujours débordés, à la chambre noire ?

— Le personnel change plus vite que chez Burger King, expliqua-t-il. Ils ont encore un nouveau stagiaire, mais il ne fera pas long feu non plus. Tu as vu Ellie ? Je suis passé par son box pour lui donner ses photos mais elle n'y était pas. Maintenant que j'y pense, je ne l'ai pas vue de la journée.

— Va voir du côté de la machine à café.

— Autrement dit, elle vient de rompre avec un nouveau minable, lâcha-t-il en secouant la tête.

Susan feuilleta ses tirages sans répondre.

— Ne t'inquiète pas, tu n'as rien laissé entendre, murmura Barry avec un léger sourire. Ellie campe toujours près de la machine à café quand ses amants lui font un sale coup.

Elle aurait dû savoir que Barry remarquerait cela. Les premiers temps, en voyant sa façon de regarder Ellie, elle avait cru qu'il craquait pour elle — mais ses commentaires étaient toujours si négatifs qu'elle avait dû abandonner tout espoir de voir ses deux amis s'intéresser l'un à l'autre.

— Sois gentil avec Ellie, gronda-t-elle. C'est une période difficile pour elle.

— C'est toujours une période difficile pour elle, répliqua-t-il, agacé. Elle fait tout le nécessaire.

— Bien entendu, toi, tu ne t'es jamais trompé !

Barry avait une erreur sérieuse à son actif, une ex-épouse que la rédaction entière appelait « Psychose ». Et s'il avait parfaitement raison au sujet d'Ellie, elle tenait à rester loyale envers son amie.

— C'est un coup bas, protesta Barry. J'avais à peine vingt-cinq ans quand Psychose m'a fait son numéro. Au fait, je t'ai dit qu'elle est passée outre l'interdiction du juge et qu'elle est retournée harceler son troisième ex ?

— Celui qui habite au Texas ?

— Non, en Floride. C'est son deuxième qui a porté plainte au Texas. En tout cas, elle a fracturé la serrure du numéro trois pendant qu'il était au travail et elle a tout tagué à la bombe. Elle a le génie des serrures, son vieux est en tôle pour vingt ans de cambriolages.

— Rappelle-moi ce que son troisième a fait pour mériter ça ?

— Il l'a épousée, malgré tous mes avertissements, comme le deuxième d'ailleurs. Dans un sens, je ne peux pas leur en vouloir. Elle a des jambes qui n'en finissent pas, de grands yeux bleus, des lèvres…

— Au fond, ce que tu essaies de me dire, interrompit-elle, c'est qu'un homme se fiche de savoir si une femme est psychotique du moment qu'elle est sexy.

— Je ne dis pas que nous sommes bien malins, repartit-il en haussant les épaules. Mais moi, j'ai tiré les conséquences de mon erreur. Ellie…

Jetant un regard rapide à la ronde, il cessa de sourire et se pencha tout près.

— Tu es sa meilleure amie, Susan, chuchota-t-il avec une sorte de fureur. Je suis sûr que tu vois tout de suite ce que valent ces crétins qu'elle ramène chez elle. Pourquoi est-ce que tu ne la remets pas sur les rails ?

— La seule fois où j'ai tenté de remettre Ellie sur les rails, comme tu dis, je l'ai vexée, répondit-elle sur le même ton. Elle ne m'a plus adressé la parole pendant deux mois.

— Tu as essayé de la mettre en garde contre ce type marié qu'elle voyait il y a quelques années, c'est ça ?

Estimant qu'elle en avait déjà trop dit, Susan ne répondit pas. Il hocha la tête d'un air las.

— Voilà pourquoi c'était si tendu entre vous deux, pendant un temps. Et moi qui croyais que vous vous battiez pour m'avoir.

— Dans tes rêves, renvoya-t-elle en lui souriant avec affection. Je suis contente que tu t'inquiètes pour Ellie. Tu devrais lui proposer une sortie.

— Oh, non, protesta-t-il avec ferveur. Je te l'ai dit : j'ai tiré les conséquences de mon erreur.

— Ellie n'est pas une malade.

— Non, mais elle a tout de même un sérieux problème. Dès qu'il s'agit des hommes, elle n'a aucun goût.

Il tourna les talons et s'en alla avec un signe de la main.

Il avait raison, elle le savait. Que l'on mette Ellie sur un bateau par gros temps, elle saurait instantanément déterminer à quelle vitesse nageaient les dauphins qu'elle observait, à quelle distance ils se trouvaient et le réglage, la focale, le filtre, le flash complémentaire dont elle aurait besoin pour capturer le plus parfaitement leur image sur sa pellicule. En revanche, qu'on la place dans une pièce remplie d'hommes et elle choisirait immanquablement le pire.

La sonnerie du téléphone interrompit ses pensées. Distraite, elle décrocha et marmonna :

— Susan Carter.

— David Chevallier.

Elle se redressa brusquement, sentant vibrer chaque cellule de son corps.

— Je… euh…

Oh, très bien, Susan, très érudit. Tu crois pouvoir trouver d'autres commentaires pétillants de ce type ?

— Vous pouvez parler ? demanda-t-il.

— Manifestement non, repartit-elle avec un sourire.

— Ce n'était pas un commentaire sur vos capacités de communication, mademoiselle Carter. Je cherchais à déterminer si vous vous trouviez dans un lieu privé vous permettant de parler librement de questions privées.

Cordial, mais très professionnel. Plus aucun signe de la gentillesse qui adoucissait sa voix la veille au soir.

— Mademoiselle Carter ?

— Un instant, je vous prie.

Dans toute la salle de rédaction, des partitions entouraient les postes de travail, servant à masquer une personne assise sans filtrer pour autant les conversations. Se levant de son siège, elle s'étira en s'arrangeant pour jeter un coup d'œil discret à la ronde. Comme elle s'y attendait, elle était entourée de collègues préparant frénétiquement leurs papiers pour le prochain numéro.

— Pas vraiment, dit-elle en se rasseyant.

— Dans ce cas, il vaut mieux nous retrouver ailleurs. Je voudrais vous montrer quelque chose. Pouvez-vous vous trouver devant l'entrée du journal dans cinq minutes ?

Elle jeta un coup d'œil à sa montre : 16 h 30 déjà ? Elle devait encore récupérer le reste de ses planches de contact à la chambre noire, sélectionner et recadrer les clichés à paraître...

— Combien de temps vous faudra-t-il ? demanda-t-elle.

— Oh, ce sera rapide. Je passe en voiture et je vous prends au passage. Emportez votre manteau et un parapluie, il pleut.

La tonalité lui vrilla l'oreille. Secouant la tête, elle raccrocha. Son Chevallier était repassé en mode distant. Au fond, elle préférait. Ce n'était pas le moment de se laisser distraire par un autre homme.

Cinq minutes exactement après son appel, le pick-up argenté se rangeait le long du trottoir devant elle. Se servant de son parapluie comme d'un bouclier, elle se précipita sous l'averse. Le temps de refermer la portière et de boucler sa ceinture, il roulait déjà.

— Vous êtes toujours aussi ponctuel ? demanda-t-elle en se tournant vers lui.

Il portait un blouson de cuir brun aujourd'hui. Le regard fixé droit devant lui, il répondit :

— Etre à l'heure, c'est la même chose que tenir parole.

— Et que dites-vous aux gens qui vous accusent d'être psychorigide parce que vous vivez avec un œil sur l'horloge ?

— Probablement la même chose que vous.

Elle ne fut pas surprise de voir qu'il l'avait située. Il avait déjà déduit tant de choses à son sujet ! Oui, elle était une « dingue des horaires » comme disaient ses amis.

— Très bien, monsieur le Détective, dites-moi ce que je réponds à ces gens.

— Vous leur dites qu'ils comptent trop pour vous pour les faire attendre.

Elle éclata de rire.

— Très bien trouvé ! A l'avenir, je saurai quoi dire. Où allons-nous ?

— Dans un endroit discret où vous pourrez regarder une photo et répondre à quelques questions.

L'endroit discret s'avéra être un parking, à une entrée secondaire du parc. La pluie battante avait chassé les promeneurs, ils étaient le seul véhicule. David choisit une place sous l'abri, pour échapper au bruit torrentiel de la pluie sur le toit. Dès que le contact fut coupé, il se retourna pour prendre une grande enveloppe sur le siège arrière. Quand il se pencha vers elle pour lui tendre un agrandissement, elle sentit l'arôme frais d'une orange sur ses mains.

— Vous reconnaissez ? demanda-t-il.

Le cliché montrait des rangées de gens assis, regardant tous dans la même direction. Elle l'étudia sans comprendre, puis reconnut des posters familiers sur le mur du fond.

— C'est la grande salle du Centre culturel, dit-elle.

Il tendit le doigt vers un visage au centre du troisième rang.

— Vous voilà.

Ce n'était pas un portrait flatteur, mais elle n'avait encore jamais vu une photo d'elle qui lui plaise. Elles lui ressemblaient généralement trop !

— Je ne savais pas qu'ils prenaient des photos.

— C'est l'impression d'un arrêt sur image de la bande vidéo de la caméra de sécurité.

— Depuis quand est-ce qu'il y a des caméras de sécurité au Centre Culturel ?

— Depuis que des conférenciers ont reçu des menaces anonymes, il y a quelques années. Vous voyez Todd ?

Elle se concentra, puis tendit la main.

— Je crois qu'on voit le haut de sa tête, là. On distingue à peine les visages dans le fond, mais c'est le seul blond.

Lui rendant la photo, elle ajouta :

— Cette photo va vous aider ?

— Je ne sais pas encore, dit-il en la rangeant dans son enveloppe. Il y a bien eu une catastrophe aérienne il y a quatre mois mais aucune victime n'avait un fils appelé Todd. A-t-il dit quelque chose pouvant indiquer que sa mère serait morte à l'étranger ?

Elle secoua la tête.

— Il a juste dit un accident d'avion. Attendez, il a ajouté quelque chose à propos d'une honte liée à l'accident…

— Une honte ?

— J'essaie de me souvenir. J'avais déjà un peu trop bu, je ne me souviens pas de ses paroles exactes. Quelque chose à propos des circonstances entourant la mort de sa mère : « c'était devenu répugnant, elle ne méritait pas qu'on se souvienne d'elle de cette façon ». Il était bouleversé.

— Il semblerait que sa mort ait généré une sorte de scandale, alors ? S'il disait la vérité.

— Comment ça, s'il disait la vérité ?

David la regarda, délibérément inexpressif.

— Il existe des hommes qui fréquentent ce type de séminaires pour rencontrer des femmes sans défense.

— Vous pensez que Todd a inventé cette histoire pour gagner ma sympathie et profiter de moi ?

— C'est lui qui a suggéré que vous alliez boire un verre.

— Non, je ne suis pas d'accord avec vous, dit-elle avec conviction. Il n'était pas comme ça.

— Les hommes qui profitent de la faiblesse d'une femme sont parfois très convaincants.

— Ne vous laissez pas tromper par mon visage de gamine. Je ne suis pas une proie facile.

— Vous étiez dans un état de… stress particulier, ce soir-là.

A travers le pare-brise, elle fixa les arbres du parc, fouaillés par un vent brutal.

— J'ai été plus… stressée à d'autres moments. Juste après la mort de Paul, plusieurs hommes ont fait l'erreur de croire que je succomberais à l'expression… très physique de leur compassion. Certains d'entre eux étaient des amis de Paul. S'ils ne m'ont pas convaincue à l'époque, on ne risque guère de me convaincre maintenant. Je connais toutes les ficelles.

— On invente de nouvelles ficelles tous les jours.

— Si Todd connaissait la moindre ficelle, il ne s'en est pas servi avec moi. Il n'a rien dit avant que je lui adresse la parole, ne m'a fait aucune avance avant que je ne l'embrasse par erreur. J'ai ouvert les yeux pour le regarder parce que son manque d'expérience m'a fait comprendre qu'il ne pouvait pas être Paul.

— Un manque d'expérience ?

— Todd était timide. Maladroit.

— Ou soûl, tout simplement ?

— Non, dit-elle en secouant la tête. Un homme soûl peut avoir des difficultés parce que son corps refuse de suivre, mais c'est différent pour un timide. Il n'est juste pas un très bon amant parce qu'il manque de confiance en lui et d'expérience des femmes. Todd tombait dans la seconde catégorie.

— Vous ne pensez pas que…

Il n'acheva pas sa question, se détourna pour regarder comme elle par le pare-brise ; un muscle tressauta dans sa mâchoire. Puis il dit :

— Hier soir, vous m'avez dit que Todd est arrivé au séminaire en retard et qu'il a garé sa voiture dans une petite rue parce que le parking était plein.

— Oui.

— Avez-vous vu sa voiture quand vous êtes allée au bar, ou ensuite, quand vous êtes revenus vers la vôtre ?

— Nous aurions pu passer devant sans que je le sache. Il n'a pas dit quel genre de véhicule il conduisait.

— J'irai jeter un coup d'œil là-bas quand je vous aurai déposée. Je veux regarder ça de plus près.

Il mit le contact en ajoutant, l'air pensif :

— Si je me souviens bien, il n'y a guère d'endroits où se garer dans ce quartier.

— Les questions sont terminées ?

— Pour cette fois.

Il se dirigea vers la sortie du parking.

— Vous aviez commencé à me demander quelque chose.

— Ce n'était pas important.

Elle sentit qu'il trouvait cela très important, au contraire, mais décida de ne pas insister.

— J'ai essayé de vous joindre à votre bureau ce matin, dit-il. On m'a dit que vous étiez sortie pour une séance photo. Vous n'avez pas de portable ?

— Il paraît qu'on s'y attache trop. Je n'ai pas envie de devoir faire une cure de désintoxication.

Encore une fois, il faillit sourire.

— J'aurai peut-être besoin de vous joindre rapidement. Ce serait utile pour moi de connaître votre planning et les sites de vos prochaines séances.

— Ça change tout le temps. Donnez-moi votre e-mail, je vous mettrai sur ma liste de destinataires. Vous recevrez le planning modifié chaque fois que je fais une mise à jour.

Il glissa deux doigts dans sa poche de poitrine et lui tendit sa carte. Une carte à l'élégance discrète, avec le nom de la firme en léger relief, son nom, adresse, téléphone et e-mail. Dans l'angle, elle retrouva le logo de Chevallier-Blanc Investigations : un cavalier de jeu d'échecs.

Elle approcha la carte de son nez ; encore chaude du contact de son corps, elle portait à présent ce délicieux parfum d'agrumes.

— Vous humez toujours les cartes professionnelles ? demanda-t-il avec un regard rapide dans sa direction.

— Vos mains sentent les oranges.

— J'étais un peu débordé aujourd'hui, je me suis contenté de fruits pour mon déjeuner. Désolé.

— Non, j'aime les oranges, dit-elle en tournant la tête vers lui d'un air amical. Vous sentez bon.

Elle ouvrit de grands yeux en voyant les lignes assez dures de son visage se fondre dans un sourire. Une fois auparavant, elle s'était demandée à quoi ressemblerait son sourire ; maintenant, elle regrettait sa curiosité ! Où était-elle allée chercher l'idée que ce type n'était pas beau ? Fourrant sa carte dans la poche de son manteau, elle fixa les rues ruisselantes pendant tout le reste du trajet.

Quelques minutes plus tard, il se garait devant l'immeuble abritant la revue.

— Je vous tiens au courant.

— Bien, répondit-elle en défaisant sa ceinture de sécurité.

Elle se hâtait de descendre quand elle sentit sa main se refermer sur son avant-bras. Chaque fois qu'il l'avait touchée auparavant, elle était irritée contre lui et son agacement avait servi à filtrer l'effet de ce contact. Le filtre ne jouait plus.

— N'oubliez pas votre parapluie, dit-il.

Elle hocha la tête sans le regarder. Elle n'osait littéralement plus lui adresser la parole. Dès qu'il la lâcha, elle saisit son parapluie, glissa du siège et courut vers l'entrée. La pluie qui la giflait rafraîchit ses joues brûlantes.

Une fois à l'abri, elle secoua son manteau, se secoua tout entière. Oui, elle trouvait David attirant, et alors ? Toutes les femmes devaient le trouver attirant. Elle avait mis du temps à remarquer sa séduction ; maintenant que c'était fait, elle devait s'avouer que ce n'était pas désagréable de se sentir de nouveau femme. Voilà tout ce que sa réaction signifiait : un rappel de sa propre féminité, laissée de côté depuis si longtemps.

De toutes ses forces, elle se concentra sur cette voix qui l'avait si souvent empêchée de faire des erreurs stupides. Puis, calmement, elle se dirigea vers l'ascenseur pour retourner au travail.

Jack Chevallier étudia le visage fermé de son frère et secoua la tête, désabusé.

— Gabrielle ne te plaît pas ?

Ils se trouvaient dans l'un des restaurants préférés de David ; leurs cavalières venaient de partir se poudrer le nez, laissant les deux frères savourer leurs digestifs. La question de Jack lui arracha un bref sourire. Les jumeaux, Jack et Jared, avaient hérité des yeux bleus de leur père, des cheveux sombres de leur mère, et des instincts de fêtard de leur oncle Reginald. Il appréciait chez Jack cette approche joyeuse de la vie et de l'amour. Jack savait vivre… mais ce soir, face à l'entrain de son frère, il se sentait vieux.

— Gabrielle est très bien, dit-il.

— Tu parles d'une reine de beauté blonde de six pieds de haut et du dis qu'elle est « très bien » ? répéta Jack, incrédule.

— D'accord. Elle est fantastique.

— Non, elle est parfaite, corrigea son petit frère. Elle est époustouflante, elle n'a aucune envie qu'on l'épouse et tu lui as tapé dans l'œil. Est-ce que tu as seulement remarqué les regards d'envie fébrile que te jettent tous les hommes dans cette salle ?

S'il y avait effectivement eu des regards envieux lancés dans sa direction, il ne les avait pas captés. Cela ne lui ressemblait pas, lui toujours si conscient de toutes les nuances d'une ambiance. Ce soir pourtant, trois petits mots ne cessaient de courir dans sa tête : « Vous sentez bon. »

Susan ne jouait aucun jeu de séduction en disant cela. Elle souriait, elle parlait sincèrement. D'accord, elle ne l'avait plus regardé de tout le reste du trajet, d'accord, elle ne manifestait strictement aucun intérêt pour lui — et c'était une très bonne chose ! Gabrielle était exactement le genre de femme qu'il voulait voir s'intéresser à lui… et pourtant, les trois petits mots tout simples de Susan, et son sourire en les prononçant, lui semblaient plus excitants que la sexualité explosive de Gabrielle.

Il poussa un gros soupir.

— J'ai fait une boulette, Jack. Je me croyais guéri.

— Tu es guéri, tu es fin prêt. Je ne te laisserai pas te défiler.

— C'était gentil d'organiser tout ça mais…

— C'est à cause de Teresa ?

— Non.

— Enfin une bonne nouvelle ! Quoi, alors ?

— Je… Une affaire sur laquelle je travaille est en train de se compliquer.

— Une affaire ? répéta son frère, atterré. Attends, tu sais quel effet ça fait de perdre un héros ? Quand je pense à toutes ces poupées qui t'appelaient quand tu avais à peine quatorze ans. Jared et moi, on t'admirait éperdument !

— Il s'est passé un certain temps depuis mes quatorze ans.

— Depuis deux ans, tu nous joues vraiment du « tout public ».

— C'est drôle, je ne me souviens pas de t'avoir parlé de ma vie sexuelle, répliqua-t-il avec une certaine raideur.

— Tu n'as pas besoin d'en parler. Si tu en avais une, tu sourirais plus souvent. Je ne me souviens même pas de la dernière fois que je t'ai vu sourire — attends, si, je sais : c'était à Noël, il y a deux ans. Teresa avait enfin dit oui et vous nous annonciez votre mariage pour la Saint-Valentin.

L'air horrifié, il se redressa sur son siège.

— Ne me dis pas, supplia-t-il, que c'était la dernière fois !

— Quand j'exerçais encore ma profession de psychologue, articula David, nous avions un terme pour désigner les hommes comme toi qui font une fixation sur le sexe.

— « Heureux » ? proposa Jack.

David réprima un sourire. Il n'aurait jamais le dernier mot avec Jack. Celui-ci se pencha vers lui, les yeux dans les yeux.

— Ecoute-moi bien. Nous, les frères Chevallier, nous avons une certaine réputation. Je suis désolé de devoir te dire ça, mais tu n'as pas fait ta part, ces derniers temps.

— Je vois, dit David.

Il voyait surtout l'inquiétude et l'affection de Jack. Et d'ailleurs, quel était son problème ? Susan lui avait souri en lui disant qu'il sentait bon ; cela voulait simplement dire qu'elle aimait le parfum des oranges. C'était ridicule d'en être affecté à ce point. Vu leurs situations à tous deux, elle ne pourrait jamais être autre chose qu'une cliente.

— Après tout, pourquoi pas ? dit-il en levant son verre. Je ne voudrais tout de même pas ternir la réputation des Chevallier !

Le sourire de Jack s'élargit, il souleva son verre à son tour.

— Voilà ce que j'aime entendre. Aux Chevaliers Blancs ! Puissions-nous toujours voler au secours des damoiselles en manque d'amour !

Susan avait retiré les tuyaux endommagés sous l'évier de sa cuisine, nettoyé la rouille et les résidus, graissé les joints, mis en place et vissés les tuyaux neufs achetés au centre de bricolage… et l'évier fuyait toujours. Elle était sale, mouillée et après deux heures de labeur, elle se retrouvait toujours au même point — avec en prime un pouce douloureux et une cuisine inondée.

Se remettant sur pied, elle jeta son livre de bricolage dans un tiroir, se sécha les mains et se laissa tomber sur une chaise, vaincue. Elle avait regardé Paul bricoler des douzaines de fois, elle avait lu le chapitre attentivement, elle devrait pouvoir le faire. Pourquoi n'y arrivait-elle pas ?

Tu es si stupide, Susan.

Elle fit une grimace en entendant siffler dans sa tête le petit commentaire cinglant de sa mère. Elle avait mis très longtemps avant de se convaincre qu'elle n'était pas stupide ; aujourd'hui encore, dans les moments de stress ou de fatigue, son ancienne conviction refaisait parfois surface.

Elle tendit la main, prit l'annuaire et le téléphone et composa le numéro d'un plombier. L'homme promit de passer dans une heure. Tout en raccrochant, elle entendit un autre des mantras de sa mère résonner dans sa tête. *Une femme a besoin d'un homme à la maison*. Elle poussa un soupir explosif. Son enfance l'avait placée aux premières loges pour constater les effets de cette dépendance. Le souvenir de l'assortiment invraisemblable d'amants qui s'étaient succédé chez elles la faisait encore frémir. Mais ça, c'était le passé. Et même si elle ne parvenait pas à réparer l'évier de sa cuisine, elle pouvait payer quelqu'un pour le faire à sa place. Elle n'était pas obligée d'avoir un homme à la maison. Elle n'était pas sa mère.

Ses pensées se tournèrent vers le petit être en train de grandir dans son ventre. Elle s'était promis autrefois que si elle devait mettre un enfant au monde, il aurait deux parents intelligents et aimants, fermement engagés l'un envers l'autre. Son enfant ne serait jamais humilié ou harcelé comme elle l'avait été. Posant la main sur son ventre, elle pensa très fort : *Mon ange, on dirait que j'ai déjà sabordé la première promesse mais je te jure, croix de bois, croix de fer, que je tiendrai les autres.*

Personne ne te dira jamais que tu es stupide.

Tu n'auras jamais à t'inquiéter de voir des inconnus s'installer chez nous.

Et tu sauras tout ce qu'on peut savoir sur ton père.

David lui avait dit qu'il se renseignerait sur Todd, et il le ferait. Que découvrirait-il ? Todd était-il un homme à qui elle puisse apprendre l'existence du bébé ? Voudrait-il jouer un rôle dans l'existence de leur enfant ? Souhaiterait-elle le voir jouer ce rôle ? Elle leva les yeux vers les cloisons de sa cuisine. La biche et son faon tacheté, l'ourse et ses oursons, l'oiselle-mouche et ses oisillons… les femelles de ces espèces prenaient soin de leurs petits seules, sans mâles. Eh bien, elle le pouvait aussi. Car si elle ne pouvait offrir à son bébé un père tendre, attentionné et responsable, elle savait qu'il valait mieux qu'il n'ait pas de père du tout.

5.

Installé devant son ordinateur portable, David fouillait l'internet à la recherche d'informations sur les accidents d'avions privés ayant eu lieu sur le territoire des Etats-Unis quatre mois auparavant. Il en trouva deux, l'un au Texas, l'autre dans le voisinage immédiat. Il cliqua sur ce dernier.

L'article provenait d'un petit journal local, il ne s'agissait que d'un entrefilet non signé, signalant simplement un Cessna Skyhawk en perdition la veille dans les Monts Olympic. Des secours étaient partis à sa recherche.

Il chercha l'article suivant — et fut surpris de n'en trouver aucun. Le services compétents mettaient souvent des mois à déterminer les causes d'un accident d'avion, mais il était très inhabituel de ne trouver aucune information sur les circonstances entourant le crash. La presse relatait les faits connus, précisait qui était à bord, le nombre de survivants…

Décrochant son téléphone, il appela la rédaction du quotidien de la ville.

— *Silver Valley Sun*, articula une voix rauque dès la première sonnerie.

— Dans cette région, un journal qui a le culot de mettre le mot « Sun » dans son titre n'inspire vraiment pas confiance, observa-t-il en souriant.

— Ouais, et une firme de détectives qui a le front de s'intituler Chevallier-Blanc n'a plus qu'à préparer son artillerie, riposta son ami Lew.

Ils se connaissaient depuis le lycée ; David avait été le témoin de Lew à son mariage, et le parrain de son aîné. Ils échangèrent encore quelques insultes amicales, puis David aborda la question qui le tracassait.

— Je suis tombé sur un truc bizarre. Un avion privé disparu dans les Olympic il y a quatre mois, et aucune précision supplémentaire par la suite. Ça te dit quelque chose ?

— Rien du tout. Où as-tu entendu ça ?

— Un petit journal au sud d'ici a passé un entrefilet, disant qu'on lançait des recherches.

— Aucun journal ne passerait même un entrefilet sans avoir confirmé son info.

— Ce serait le boulot du shérif du Comté d'organiser des recherches à l'ouest du Canal Hood, je me trompe ?

— Ce serait la procédure normale, confirma Lew. Quand le shérif envoie une équipe de secours, le journaliste qui couvre le secteur les accompagne généralement. Ça ne semble pas logique qu'il n'en ait plus parlé. Et puis, les accidents d'avion finissent toujours aux infos nationales parce que le NTSB doit faire son enquête. Les agences de presse auraient dû reprendre l'histoire.

— Tu vois une raison pour laquelle elles ne l'auraient pas fait ?

— Aucune, non. Tu as raison, c'est bizarre. Je passe quelques coups de fil et je te rappelle.

David eut juste le temps de le remercier avant qu'il ne raccroche. Près de lui, l'Interphone bourdonna.

— Oui, Harry ? dit-il en enfonçant le bouton.

— Monsieur, un coursier du service de gardiennage du Centre Culturel vient de déposer les photos que vous aviez demandées. Voulez-vous que je les apporte ?

— Oui, merci.

Quelques instants plus tard, un coup rapide fut frappé à la porte et Harry Gorman entra, une épaisse enveloppe verte à la main.

La soixantaine mince et noueuse, le visage carré, les yeux noirs brillants, Harry était un ancien militaire. Ses cheveux se repliaient vers l'arrière, bientôt, ils capituleraient tout à fait. A grands pas énergiques, il s'approcha du bureau de David et lui tendit son enveloppe comme s'il s'agissait d'informations secrètes rapportées au péril de sa vie de derrière les lignes ennemies. En fait, si Harry avait effectivement été soldat de carrière avant de prendre ce poste cinq ans plus tôt, il n'avait jamais servi que derrière un bureau. Il s'occupait de la comptabilité de la firme, gérait les rendez-vous et répondait aux incessants coups de fil avec une précision toute militaire.

Quand David prit l'enveloppe qu'il lui tendait, Harry claqua des talons et resta au garde-à-vous en attendant ses ordres. A son arrivée dans la firme de ses parents, David avait fait des efforts pour l'amener à se détendre un peu. Sans résultat ! Cette attitude était la seule dans laquelle Harry se sente à son aise et David, résigné, le laissait maintenant l'appeler « monsieur » et se tenir au garde-à-vous autant qu'il le désirait.

L'enveloppe était épaisse. David remercia le secrétaire et le renvoya, supportant avec résignation son demi-tour impeccable et sa façon de refermer la porte sèchement derrière lui. Avant d'examiner le contenu du pli, il prit un moment pour composer un e-mail à l'intention du petit journal texan dans lequel figurait l'un des accidents aériens. En l'envoyant, il se demanda comment ses parents avaient pu faire fonctionner la firme pendant tant d'années sans le secours de la Toile. Il voyait d'ici les journées passées à la bibliothèque à feuilleter de vieux journaux, les factures de téléphone, les souliers et les pneus usés avant l'heure ! Il n'aurait pas voulu être détective à cette époque !

Bien entendu, il restait encore énormément de démarches fastidieuses, surtout dans sa spécialité. Sa solution était de développer le profil psychologique des personnes disparues. Une fois que l'on connaît l'individu, il devient beaucoup plus simple de savoir où le chercher.

Cette affaire lui posait problème parce qu'il n'avait pas pu se faire une idée de la personnalité de Todd. Opportuniste cynique s'attaquant aux femmes en détresse ou orphelin timide et maladroit ? Il tendait toujours vers la première hypothèse. Ce que Susan interprétait comme une maladresse de débutant pouvait n'être qu'une excitation incontrôlée. Un instant, il avait failli suggérer cette possibilité mais il s'était tu, devinant que ce serait une maladresse.

Susan voulait croire que ce Todd était un garçon timide qui luttait comme elle contre le chagrin. Elle était intelligente et prudente, et elle avait encore du mal à admettre son propre comportement ce soir-là. En choisissant de voir Todd de cette façon, elle minimisait sa propre humiliation. Il n'est agréable pour personne de se laisser abuser, il était bien placé pour le savoir.

Ouvrant enfin l'enveloppe du Centre Culturel, il en sortit une liasse de photos et se mit à les comparer avec l'agrandissement qu'il avait fait réaliser de l'homme identifié par Susan. Le visage restait flou, malgré toutes les améliorations apportées par l'ordinateur. Il s'efforça pourtant de le retrouver sur d'autres arrêts sur image, sélectionnés dans les bandes des quelques derniers mois.

Andy, le chef du service de gardiennage, s'était montré très serviable. A l'époque où il était encore psychologue, David l'avait aidé à traverser une passe difficile dans son mariage. Andy ne l'avait pas oublié, lui fournissant sans difficulté la liste des autres séminaires pouvant attirer des femmes désemparées — et des hommes capables de profiter de leur désarroi. Si un type ressemblant à Todd s'y était présenté, David voulait le savoir.

Il passa une heure et demie à étudier des centaines de visages, sans parvenir à le reconnaître. Soit Todd n'était venu qu'au séminaire sur le deuil, soit la photo n'était pas suffisamment ressemblante pour permettre de le retrouver.

L'ordinateur près de lui émit le bip signifiant qu'il venait de recevoir un message. Lâchant ses photos, il fit pivoter son siège vers l'écran. Le journaliste au Texas avait déjà répondu à son message — un message bref et clair.

« Les deux victimes étaient des gens d'ici. Pas de femme à bord. Pas de fils portant le prénom de Todd. »

Cela ne le surprenait pas, mais mieux valait couvrir toutes les bases. Une fois que l'on a identifié les impasses, il est plus facile de rester sur le droit chemin. Cliquant sur la fonction « réponse », il tapa ses remerciements.

Il rassemblait ses arrêts sur image quand son ordinateur émit un nouveau bip. Cette fois, le message provenait de Susan. Il se hâta d'ouvrir la fenêtre et vit qu'elle lui envoyait son planning jusqu'à la fin de la semaine — sans aucun message personnel. Un regard à la ligne des destinataires lui apprit que son nom ne figurait pas parmi les collègues recevant normalement son planning. Elle avait dû ajouter son adresse en copie cachée. Un bon point pour elle.

Se renversant sur son siège, il contempla l'agrandissement qu'il avait fait faire d'elle à partir des bandes du Centre Culturel. Sur cette image granuleuse et un peu floue, il lut une tristesse qu'il n'avait encore jamais vue sur son visage, même quand elle lui parlait de son mari. Elle cachait bien ses émotions — mais pourquoi se sentait-elle obligée de le faire ? Que lui était-il arrivé pour la rendre si réservée ?

Pourquoi avoir fait agrandir cette photo ? Ce n'était pas elle qu'il recherchait. Il agissait d'une façon bizarre ces derniers temps. La veille au soir par exemple… Gabrielle avait plongé son regard dans le sien en l'invitant à monter chez elle boire un verre. Aucun homme digne de ce nom n'aurait dû être capable de la planter là. Et pourtant, il l'avait fait.

Ses yeux revinrent malgré lui vers la photo de Susan. La caméra de la salle l'avait surprise dans un rare moment où elle posait le masque. Todd avait-il vu cela ? Etait-ce une coïncidence qu'il se soit levé pour partir au même moment ? Ou la surveillait-il en attendant le moment où il se heurterait à elle ?

David contemplait toujours sa photo quand le voyant de sa ligne privée clignota. Il décrocha et prononça son nom.

— Tu es prêt à noter ? demanda la voix de Jared.

Le jumeau de Jack, Jared était député auprès du shérif du Comté — ce qui rendait de grands services au reste de la famille.

David saisit un bloc et un stylo.

— Vas-y.

— Deux voitures ont eu des contraventions pour avoir passé la nuit du vendredi en question dans les rues proches du Centre Culturel. L'une était une Ford Ranger noire de 1994 appartenant à Jeffrey Alfred Wald, domicilié à Silver Valley. L'autre était une BMW beige de 2002 appartenant à Vance Todaro Tishman, de Falls Island.

— A quelle heure, les contraventions ? demanda David en notant les noms.

— La BM à minuit, la Ford quelques minutes après. Le stationnement est interdit dans le secteur de 22 heures à 6 heures du matin. La Ford est coutumier du fait, le propriétaire a ses habitudes dans un bar et il a le bon sens de rentrer en taxi. Tu es sur un coup ?

— Pas au sens criminel du terme. Ce devrait être une affaire ordinaire de personne disparue.

— Tes affaires ordinaires ont tendance à prendre des détours intéressants, renvoya son frère. Je ne me plains pas : tu m'as offert trois arrestations au cours des deux dernières années. Ne t'arrête pas en si bon chemin.

— Toujours prêt à te procurer de l'avancement.

— Parlant de s'entraider, il paraît que Jack t'a fait rencontrer la belle Gabrielle hier soir. Espèce de veinard ! Elle est aussi bonne qu'elle en a l'air ?

— Tu sais bien que je ne raconte pas ma vie.

— Dommage. Quelquefois, c'est aussi bien d'en parler que de le faire.

— Dans ce cas, tu ne t'y prends pas comme il faut.

Jared raccrocha sur un éclat de rire. David secoua la tête, amusé. Ces jumeaux ! Ils ne renonceraient jamais à leur vie de fêtards, mais lui n'avait jamais fonctionné de cette façon. Même tout jeune, il s'intéressait davantage à ses études, voulait s'installer dans sa profession et trouver la femme avec qui il passerait sa vie. Pourtant, la vie était beaucoup plus simple quand on évitait les complications ; en fin de compte, ses jeunes frères étaient peut-être dans le vrai.

Sa ligne privée sonna de nouveau.

— Je te retrouve au Bistro Lune dans un quart d'heure, lança Lew. Tu m'offres à déjeuner.

David jeta un coup d'œil à sa montre.

— A 11 heures du matin ? Explique-moi pourquoi je t'offre à déjeuner aussi tôt, au restaurant le plus branché de la ville.

La voix de Lew se fit plus étouffée, comme s'il venait de couvrir le combiné de sa main pour ne pas être entendu.

— Parce que ce que j'ai à te dire le vaut bien.

*
* *

— Je voudrais faire ces photos, lança Susan.

Greg Hall braqua sur elle son regard sagace. Son éditeur était un petit homme de cinquante ans avec des cheveux bouclés, un gros ventre et une intelligence redoutable.

— C'est Tremont notre spécialiste de la vie marine, répondit-il. C'est à elle de les faire. Où est-elle ?

La réunion de rédaction battait son plein, il n'y avait qu'une seule chaise vide — celle d'Ellie.

— Ellie avait un rendez-vous, se hâta de répondre Susan. Pour une fois, je peux bien m'en occuper, je n'avais rien prévu d'autre.

Du coin de l'œil, elle vit Barry secouer la tête d'un air désapprobateur. Lui au moins savait qu'elle couvrait Ellie, une fois de plus.

— Sans vouloir vous vexer, Carter, la dernière fois que je vous ai envoyée à la place de Tremont, vous avez eu le mal de mer et vous avez vomi sur le remorqueur.

— Le Sound était déchaîné, ce jour-là.

C'était vrai — mais si elle avait vomi, c'était surtout à cause des nausées qui ne l'avaient pas lâchée de la journée.

— Raison de plus pour que Tremont y aille. Elle a le pied marin.

— Même Ellie aurait flanché, protesta Susan. Le pilote du remorqueur a passé la journée à me souffler au nez la fumée de son cigare. J'ai quand même fait les photos. Vous en passez une dans le prochain numéro.

Il fronça les sourcils, mais elle sentit qu'elle le tenait. Greg Hall était un ancien gros fumeur jusqu'à sa crise cardiaque, neuf mois plus tôt. Il avait cessé de fumer du jour au lendemain et depuis, il était devenu un militant de l'anti-tabagisme.

— Bon, d'accord, Carter. Les photos sont pour vous. Je vous demanderai tout de même d'emporter un masque et de la dramamine, je ne veux pas que ce crétin de remorqueur nous envoie encore une facture de nettoyage.

— Merci, Greg ! s'écria-t-elle.

Elle s'efforçait de mettre de l'animation dans sa voix mais en fait, la perspective de cette sortie en mer l'horrifiait. En même temps, elle ne voulait pas qu'Ellie ait des ennuis pour avoir manqué la conférence de rédaction. Son amie l'inquiétait : si elle était allée chercher ses affaires chez Martin avant de réintégrer son propre appartement, son moral restait au plus bas. Pourvu, pourvu qu'elle n'ait pas manqué cette réunion pour une raison stupide — comme aller relancer Martin.

Les conférences de rédaction se tenaient en fin de journée ; quand elle quitta le bureau du patron, l'heure normale du départ était largement dépassée. Elle descendit pourtant dans la salle de rédaction et la trouva déserte. Où était Ellie ? Elle ferait bien de lui laisser un mot la prévenant qu'elle se chargeait de la sortie en mer du lendemain, au cas où elle repasserait par son bureau. Tiens, elle l'inviterait aussi à dîner, au cours du week-end. En ce moment, Ellie avait par-dessus tout besoin de compagnie.

Dès qu'elle tourna l'angle du box d'Ellie, elle comprit qu'il ne serait pas nécessaire de laisser de mot, et qu'Ellie n'aurait aucun besoin de sa compagnie. Les bras noués autour de la taille d'un grand garçon mince, son amie l'embrassait éperdument. Ce n'était pas Martin.

S'adossant à la demi cloison, elle croisa les bras sur sa poitrine et demanda en souriant :

— Dites-moi si j'interromps quelque chose…

Les deux autres s'écartèrent d'un bond et le garçon se retourna. Maintenant, Susan le situait ! Le nouvel assistant de la chambre noire — il devait avoir douze ans de moins qu'Ellie mais cela ne semblait pas le déranger. Son amie en revanche semblait assez gênée.

— La réunion est terminée ? demanda-t-elle en saisissant un mouchoir en papier pour essuyer son rouge à lèvres brouillé.

Elle en tendit un autre au jeune homme sur le visage de qui elle avait transféré presque tout son maquillage.

— Oui, c'est terminé, répondit Susan.

S'avançant dans le petit bureau, elle s'adressa au garçon.

— Bonsoir. Je suis Susan Carter.

— Skip Dunn, répondit-il.

L'air très content de lui, il frottait avec entrain les traces rouges sur son visage.

— Skip allait juste… bredouilla Ellie.

— S'en aller, conclut l'intéressé à sa place.

Il se retourna vers Ellie pour un dernier baiser, brusque et passionné, et sortit en sifflant. Dès qu'il fut parti, Susan se retourna vers Ellie et dit, très pince-sans-rire :

— J'espère que tu lui as demandé ses papiers. Je n'ai pas envie de te voir en tôle pour avoir séduit un mineur.

Ellie tomba sur son siège comme si ses jambes ne la soutenaient plus.

— Tu sais très bien que le journal n'embauche pas les mineurs, gémit-elle. Et puis, Skip dit qu'il a vingt et un ans.

— Bien ! Il est assez grand pour monter dans tous les manèges au parc d'attractions !

Puis, en réponse au regard torve de son amie :

— D'accord, j'arrête. Depuis quand est-ce que… ?

— Depuis ce matin. Je suis passée à la chambre noire prendre des tirages, il m'a dit d'entrer, il m'a à peine touché la main et on s'est retrouvés dans les bras l'un de l'autre. Il est incroyable !

Il était également à des années-lumière du genre d'homme qu'Ellie affirmait chercher : un type mûr, prêt à s'installer et à lui faire la demi-douzaine d'enfants dont elle avait déjà choisi les noms. Une fois de plus, Ellie se fourvoyait.

En même temps, c'était bon de la voir sourire. Au fond, une nouvelle relation toute simple, c'était peut-être exactement ce qu'il lui fallait pour oublier sa peine de cœur.

— Alors, raconte, dit-elle.

— Je me fiche qu'il soit plus jeune. Je me fiche qu'il gagne le salaire minimum. Je me fiche que nous n'ayons strictement rien à nous dire. Dès qu'il me touche, je me fiche de tout. Je ne sais pas ce qui me prend…

— Le désir, répondit Susan, amusée et un peu envieuse.

Ellie lui lança un sourire.

— Désolée d'avoir raté la conférence. Skip est passé m'apporter des tirages et je n'ai pas réussi à m'arracher.

— C'est ce que j'ai vu.

Avec un petit rire, Ellie se carra sur son siège.

— Alors ? Il y a quelque chose que je devrais savoir ?

— Le bébé phoque orphelin trouvé sur la plage en novembre dernier est en pleine forme, on le relâche très tôt demain matin. Tu peux encore y aller, si ça t'intéresse. A moins que Skip et toi n'ayez d'autres projets cette nuit ?

Ellie passa la main sur ses boucles noires ébouriffées.

— Je ne pourrai pas voir Skip ce soir, c'est l'anniversaire de sa petite sœur. Oh, bon, je sais ce que tu penses, quel bébé !

— D'après ce que j'ai vu, ce n'est pas du tout un bébé.

— Si tu savais le bien que tu me fais ! Je t'ai déjà dit que tu es géniale ?

— Toi aussi. Alors, tu veux ce reportage sur le bébé phoque ?

— Et comment ! Je n'ai pas pris de photo correcte de toute la semaine. Il serait temps que je recommence à faire sentir ma présence !

Enchantée, Susan arracha de son calepin la page où elle avait inscrit les infos pertinentes et la tendit à Ellie.

— A lundi ! lança-t-elle en sortant du box.

Quel soulagement de ne pas être obligée de faire ce reportage, quel soulagement aussi de voir Ellie retrouver son enthousiasme professionnel ! Cet espèce de coup de foudre pour Skip serait peut-être très positif, en fin de compte. Un peu de sensualité débridée, cela vous réveillait une femme. Si seulement Ellie ne gâchait pas tout en demandant à Skip d'être autre chose que lui-même.

Maintenant, elle pouvait rentrer chez elle passer une longue soirée tranquille, et un week-end reposant en compagnie de Chou. Tiens, elle passerait à la grande librairie du centre commercial en rentrant, pour voir ce qu'ils avaient comme livres sur la grossesse. Il serait temps d'étudier sérieusement le sujet ! Aujourd'hui, elle bouclait sa septième semaine.

Posant la main sur son ventre, elle se mit à sourire. *Dans un peu plus de sept mois, mon ange, tu vas faire ton entrée dans ce vaste monde. J'ai encore du mal à réaliser ! Ne t'en fais pas, je ne suis pas de celles qui remettent au dernier moment. Je serai prête.*

Perdue par son monologue intérieur, ce fut un choc réel d'entrer dans son box et de trouver David assis à son bureau. Elle se demandait encore si son cœur battait de surprise ou de plaisir quand il se mit sur pied.

— Désolé, dit-il.

Elle se souvenait encore de la vague de chaleur qui l'avait envahie au contact de sa main. Un peu de sensualité débridée... Un peu affolée, elle repoussa cette pensée. C'était sans doute bon pour Ellie, mais pas pour elle !

— Qu'est-ce qui vous amène ? demanda-t-elle avec une désinvolture feinte.

— J'ai laissé plusieurs messages sur votre boîte vocale. Je me suis un peu inquiété quand vous n'avez pas réagi.

— Désolée, je n'ai pas relevé mes messages. J'ai passé le plus gros de la journée dans des réunions. Il s'est passé quelque chose ?

— Je crois avoir découvert qui est Todd. J'aurais besoin de vous montrer quelque chose. Vous avez quelque chose de pressant à faire ?

Avec un soupir, elle posa son calepin, regarda sa montre. Sa bonne soirée détendue était fichue, mais elle voulait bien changer ses projets si cela pouvait résoudre son problème. Passant la lanière de son sac sur son épaule, elle répondit :

— Je dois juste rentrer nourrir Chou.

— Alors passons déjà là-bas, dit-il.

Il décrocha son manteau et le lui présenta, grand ouvert.

Sur tout le trajet du retour, il roula juste derrière elle. Cela lui donna une impression curieuse, comme si ses phares montaient la garde ; inexplicablement, elle se sentit moins seule. Chou les accueillit tous deux avec son exubérance habituelle ; quand elle passa dans la cuisine pour lui donner son dîner, David la suivit. En temps ordinaire, cela l'aurait heurtée, comme une forme de sans-gêne, mais sa présence ne la dérangea pas. Parce qu'ils avaient déjà dîné ensemble dans cette cuisine ? Parce qu'elle lui avait avoué tous ses secrets — ou parce qu'il les avait acceptés avec tant de compréhension ?

— Ce que je veux vous montrer est dans mon bureau, dit-il. Nous nous arrêterons en route pour manger un morceau. Vous devez d'abord promener Chou ?

— Non, dit-elle en se penchant pour tapoter le dos de ce dernier. Je ne verrouillerai pas sa porte, il pourra sortir dans le jardin. Tout de même, il ne sera pas content en voyant que je le laisse. Je voudrais rentrer tôt.

— Vous rentrerez tôt.

*
* *

Susan sortait rarement dîner mais elle avait toujours vécu ici et croyait connaître tous les restaurants de la ville. Elle fut surprise de voir David se diriger vers un quartier où elle n'avait jamais eu l'occasion d'aller, et se garer dans une rue déserte entre deux entrepôts. L'entrée se trouvait dans un cul-de-sac ; il n'y avait aucune enseigne.

— Comment s'appelle cet endroit ? demanda-t-elle.

— Chez Mélie, répondit-il en s'écartant pour la faire entrer.

Le bâtiment ne payait pas de mine mais une fois à l'intérieur, elle fut agréablement surprise par le décor. En contraste avec l'éclairage tamisé de la majorité des restaurants, la salle était claire et gaie. Une clientèle décontractée bavardait gaiement autour d'une douzaine de tables, des arômes divins remplissaient l'air.

— David, content de te voir !

L'homme qui vint à leur rencontre devait avoir soixante ans. Il était petit avec un long nez, une masse de cheveux gris et de joyeux yeux bruns qui se plissaient en les regardant tour à tour.

— Mac, je te présente Susan Carter, dit David en aidant celle-ci à retirer son manteau.

Mac inclina la tête.

— Enchanté de vous connaître. Cela faisait longtemps que David ne nous avait plus emmené de jolie femme. Par ici !

Les entraînant de l'autre côté de la salle, il leur trouva un coin tranquille et les installa à une petite table pour deux. Puis il disparut.

— Il n'y a pas de menus ici, expliqua David. Mac nous servira ce que Mélie aura préparé ce soir.

L'ambiance était chaleureuse. Elle vit plusieurs familles avec des enfants, et certains convives se parlaient d'une table à l'autre.

— On se croirait en famille, une très grande famille reconstituée, observa-t-elle. Mac et Mélie viennent vous gronder si vous ne finissez pas votre assiette ?

— Autant que je sache, ce n'est encore jamais arrivé.

— Comment avez-vous trouvé cet endroit ?

— Mac et Mélie sont des amis de mes parents. Quand le dernier de leurs sept enfants a quitté la maison, Mélie s'est aperçue qu'elle ne savait pas faire la cuisine pour deux. Il y a trois ans, ils ont décidé d'ouvrir ce petit restaurant.

— On dirait que c'est une réussite.

— Ils n'ont pas eu besoin de publicité. De six à neuf, six soirs par semaine, les douze tables sont prises. Si on veut réserver, il faut s'y prendre plusieurs semaines à l'avance.

— Vous aviez réservé depuis si longtemps ?

— Je mange ici tous les vendredis soir.

Et Mac avait dit qu'il n'avait pas emmené de compagne depuis longtemps… Voyait-il quelqu'un ? Laisse tomber, Susan, se gronda-t-elle. Tu as déjà suffisamment de problèmes, ce n'est pas le moment de penser à un homme. Et surtout pas celui-ci !

— Que voulez-vous me montrer ? demanda-t-elle.

— Je préfère attendre que nous soyons au bureau.

Mac reparut, chargé de deux assiettes fumantes remplies d'un pot-au-feu odorant. Il repartit en trombe et revint quelques instants plus tard avec une petite miche de pain tout juste sortie du four et une soucoupe de beurre. Le pot-au-feu était délicieux, les légumes pleins de saveur, la viande tendre et le bouillon parfumé avec des condiments qu'elle ne reconnut pas. Elle goûta le pain qui lui fondit dans la bouche. Elle comprenait mieux maintenant pourquoi les convives terminaient toujours leur assiette !

Au prochain passage de Mac, elle lui dit avec chaleur :

— Votre femme est une cuisinière fabuleuse, dites-le lui de ma part. Et dites-lui aussi que si jamais elle décide de publier un livre de recettes, je serai sa première cliente.

— Vous aimeriez avoir sa recette de ce soir ? demanda Mac, rayonnant.

— Qui dois-je assassiner ? répliqua-t-elle en riant.

— Ta Susan me plaît, dit glissa le patron à David.

Puis, se penchant vers son oreille, il ajouta d'une voix très audible :

— Encore mieux que l'autre.

Mac reparti, elle ne put s'empêcher de le taquiner.

— « L'autre ? », demanda-t-elle.

— Une personne que j'ai amenée ici il y a longtemps, murmura-t-il en goûtant son café.

Sa voix avait changé, son visage aussi. Elle se souvint tout à coup d'une petite phrase, à sa première visite chez elle. Il savait d'expérience combien c'était dur de perdre un être aimé, quelque chose de ce genre. Avait-il perdu la femme qu'il aimait ? Elle eut envie de lui poser la question mais se contint. Elle avait répondu à ses questions dans le but de faire avancer ses recherches, mais si elle l'interrogeait à son tour, ce serait de l'indiscrétion pure et simple. D'ailleurs, il ne répondrait sans doute pas. A sa place, elle ne le ferait pas !

— C'était un repas fabuleux, dit-elle. Merci beaucoup.

Il contempla fixement le fond de sa tasse vide. Visiblement, cela continuait à lui poser problème d'accepter des remerciements de sa part. Mais pourquoi !

Au moment de partir, Mac lui tendit un bristol sur lequel on avait griffonné la recette du pot-au-feu. Elle l'embrassa sur la joue. Enchanté, il ordonna :

— David ! Il faut nous la ramener !

— A la semaine prochaine, répondit celui-ci.

Il souriait, mais elle nota qu'il évitait de répondre. Ils roulaient déjà depuis quelques minutes quand il desserra enfin les dents.

— Il faut excuser Mac s'il nous a pris pour un couple. Il n'y peut rien, c'est un romantique.

— Maintenant qu'on nous a vu dîner ensemble, ma réputation est fichue, soupira-t-elle d'un air tragique.

Elle revit son bref sourire.

— J'allais vous donner le numéro du restaurant mais si vous vous montrez sarcastique…

— Trop tard, riposta-t-elle. Mac a écrit leur numéro au dos de la recette. Ne vous en faites pas, je ne viendrai pas le vendredi soir.

— Parce que vous estimez devoir me rassurer sur ce point ?

— Un jour, vous m'avez dit que j'étais très réservée, répondit-elle. Je pourrais en dire autant pour vous. Je pense que vous ne seriez pas très content de voir une ancienne cliente se présenter en même temps que vous au restaurant où vous avez vos habitudes.

Il conduisit quelques instants en silence, puis lâcha :

— Aucun de nous n'est tout à fait ce qu'il semble.

— Oh, vous, je crois que vous n'en êtes pas loin.

— Pas loin de quoi ?

Sa question la surprit. Son opinion l'intéressait-elle réellement ou était-ce sa façon de dire qu'il doutait qu'elle puisse lire en lui ? Elle étudia son profil à la lueur des réverbères. Il semblait encore plus inaccessible dans la pénombre et pourtant, elle se souvenait de sa prévenance à Camp Long, de sa gentillesse envers Chou — du tact et de la délicatesse avec lesquels il l'avait écoutée l'autre soir, et de la façon dont son visage se métamorphosait au moindre sourire. Elle décida de relever le défi :

— Je pense, dit-elle, que vous êtes doué d'une volonté exceptionnelle. Vous êtes précis, sûr de vous, très autonome, intelligent et intensément concentré sur le but à atteindre. Vous obtenez des résultats parce que vous exigez de vous-même un parcours sans faute. Et pourtant…

Elle s'interrompit, gênée tout à coup.

— Et pourtant ? répéta-t-il.

Puisqu'il l'invitait à poursuivre, elle le ferait. Au fond, elle avait très envie de tout dire.

— Vous ne vous autorisez aucun défaut et pourtant, vous êtes très compréhensif quand il s'agit des défauts des autres.

— Qu'est-ce qui vous fait penser cela ?

— Vous avez été compréhensif avec les miens.

Il glissa son pick-up dans une place libre devant l'immeuble, coupa le contact et se tourna vers elle.

— Même si vous n'étiez pas ma cliente, il faudrait n'avoir aucun cœur pour ne pas être touché par votre situation.

Sa façon de tourner la question l'amusa, ainsi que son malaise évident face à tout commentaire flatteur. Il avait beau maintenir son masque serein, elle voyait sa main gauche serrer le volant à s'en blanchir les jointures.

— Oh, oui, vous avez du cœur, dit-elle en souriant. Vous êtes même très gentil et prévenant. Mais ne vous inquiétez pas, je ne le dirai à personne. Parole de Scout !

Elle leva solennellement la main.

— Ce n'est pas le salut des Scouts.

Elle éclata de rire et défit sa ceinture de sécurité.

— Vous autres, les fichus Eclaireurs, vous croyez tout savoir. Alors, qu'est-ce que vous vouliez me montrer ?

— Je dois d'abord vous raconter la curieuse histoire d'un avion disparu.

6.

David alluma le plafonnier de son bureau. Quand Susan passa devant lui, il sentit son parfum délicat — et se souvint de son premier passage dans cette pièce.

Il s'était mal comporté ce matin-là, et c'était un nouveau dérapage, ce soir, de lui demander comment elle le voyait. Son diagnostic l'avait pourtant surpris par son exactitude — en revanche, en entendant le mot « compréhensif », prononcé avec tant de chaleur, il avait su qu'elle se fourvoyait ; « gentil » et « prévenant », c'était encore plus grave. Comment des mots aussi simples pouvaient-ils se charger d'un impact émotionnel aussi puissant ?

Tirant un siège pour elle, il se mit à raconter :

— Il y a quatre mois, le pilote d'un Cessna 150 revenait vers son champ d'aviation quand il a failli entrer en collision avec un Skyhawk.

— Ce sont des avions privés ? demanda-t-elle en prenant place en face de lui.

— Oui, des avions manufacturés par la compagnie Cessna. Le 150 est un ancien modèle à deux places, le Skyhawk est plus récent et transporte six personnes.

— Comment les deux avions se sont-ils trouvés si près l'un de l'autre ?

— Ils suivaient le canal Hood en sens inverse. Le pilote du 150 a viré sur sa droite mais le Skyhawk n'a fait aucune manœuvre correspondante. Il volait droit vers le 150.

Il se tut un instant pour rassembler ses pensées.

— Quand le pilote du 150 a manœuvré pour l'éviter, il a vu pendant un instant l'intérieur de l'autre cockpit. Le pilote du Skyhawk était effondré sur ses commandes.

— Il avait perdu connaissance ?

— C'est ce qu'il a conclu. Il a immédiatement lancé un S.O.S. radio. Lui-même ne pouvait pas le suivre : le temps se gâtait et il manquait de carburant, il n'a pas eu d'autre option que de rentrer à sa base.

— Qu'est-il arrivé au Skyhawk ?

— Il a disparu dans un nuage. Une équipe de secours est partie à sa recherche. Plusieurs jours plus tard, ils ont repéré l'épave dans un ravin profond. Il a fallu descendre en rappel d'un hélicoptère pour récupérer les trois corps à l'intérieur : le pilote et deux passagers.

Il lui donnait tous ces détails pour présenter un tableau aussi complet que possible. Si elle parvenait à visualiser la situation, elle comprendrait plus aisément ce qui allait suivre.

— Je ne me souviens pas d'avoir entendu parler de cet accident aux informations, dit-elle.

— On n'en a pas parlé aux informations.

— Ce genre de faits divers ne passe pas automatiquement dans le journal ?

— En temps normal, oui. A moins qu'une personne très influente ne fasse pression pour l'empêcher.

— C'est ce qui s'est passé cette fois, devina-t-elle. Qui aurait un tel pouvoir ?

— Dans son message de détresse, le pilote du 150 a donné l'immatriculation du Skyhawk. Celui-ci appartenait à Lucy Norton, co-propriétaire de l'Académie de pilotage Norton, une petite entreprise située à une quarantaine de kilomètres au sud de Silver City. Lorsque le shérif l'a contacté, le mari de Lucy Norton a confirmé que son épouse s'était envolée une demi-heure plus tôt avec deux passagers, Steve Kemp et Molly Ardmore Tishman.

Il se tut un instant pour voir si elle réagirait à ce nom. Son expression resta perplexe, interrogative.

— Molly Ardmore Tishman est — était — la fille unique de Robert Ardmore, expliqua-t-il.

— Robert Ardmore, l'industriel, le millionnaire ? s'écria-t-elle. Vous voulez dire qu'Ardmore a empêché les médias de dire que sa fille venait de mourir dans un accident d'avion ?

Il approuva de la tête.

— Mais... même un homme puissant comme Ardmore... comment pourrait-il cacher la mort de sa fille ?

— Le décès a été déclaré discrètement, comme ceux de Steve Kemp et Lucy Norton. Légalement, tout est en règle. En revanche, comme vous dites, rien n'a filtré jusqu'aux médias. Dans chaque cas, on a déclaré un décès accidentel.

— Je ne comprends pas pourquoi il fallait faire un tel secret d'un accident d'avion.

— A moins que ce ne soit pas un accident.

Elle le fixa, très concentrée.

— Que voulez-vous dire ?

— La cause de l'accident n'a pas encore été déterminée mais même quand l'enquête sera bouclée, le rapport sera classé et on n'en parlera jamais. Ardmore a l'argent et l'influence nécessaires. Un élève de l'Académie Norton affirme que Lucy était une alcoolique qui emportait souvent une bouteille avec elle pendant ses heures de vol.

Susan prit quelques instants pour digérer ce qu'elle venait d'entendre. Son expression était pensive, un peu triste.

— Ces personnes qui feront leur rapport pourront déterminer si Lucy Norton était en faute ?

— Cela dépend de l'état de son corps quand on l'a récupéré. Je n'ai pas pu avoir cette information.

— Comment avez-vous découvert le reste ?

— Par un ami qui est de la partie.

— Quelle partie ? Il connaît Robert Ardmore ?

— Non, c'est un journaliste ; il connaît plusieurs des personnes payées par Ardmore pour que l'information ne filtre pas.

Il avait pris soin de lui donner ces informations très progressivement, un élément à la fois. Il attendit qu'elle pose la question vers laquelle il la menait depuis le début.

— Vous êtes en train de me dire que la mère de Todd était dans cet avion ?

— Vous êtes la seule à pouvoir le dire.

— Et comment ?

Ouvrant le tiroir de son bureau, il en sortit l'agrandissement d'une photo d'identité faxée par Jared en début de soirée.

— Vous le reconnaissez ?

— C'est Todd, dit-elle tout de suite.

Il s'en était senti presque sûr, et il tenait sa confirmation.

— Voilà pourquoi il était si malheureux en pensant à la façon dont on se souviendrait d'elle, murmura Susan. Si elle avait bu ce jour-là, elle est responsable de sa mort comme de celle des deux autres. Lucy Norton était la mère de Todd…

— Non, corrigea David. Pas Lucy Norton mais Molly Ardmore Tishman.

Elle se retourna d'un bond.

— Comment ?

— Cette photo provient du permis de conduire de Vance Todaro Tishman, 2100 Crest View Lane à Falls Island. Sa voiture a récolté une contravention pour stationnement non autorisé, tout près du Centre Culturel, la nuit du séminaire auquel vous avez participé.

— Mais… il ne s'appelle pas Todd.

— Soit il vous a menti au sujet de son prénom, soit Todd est un petit nom. Je n'ai pas encore pu le découvrir.

— Attendez une seconde. Si Molly Ardmore Tishman était sa mère, alors son…

Sa voix s'éteignit et il conclut à sa place :

— Son grand-père est Robert Ardmore.

Se laissant aller contre le dossier de son siège, elle regarda dans le vide en secouant lentement la tête.

— C'est très difficile à croire, murmura-t-elle.

— Pourquoi cela ?

— Si Todd est le petit-fils d'un millionnaire, que faisait-il à un séminaire sur le deuil dans un petit Centre Culturel comme le nôtre ?

— Vous voulez dire, pourquoi ne voyait-il pas un psychologue en privé pour surmonter le traumatisme de la mort de sa mère ?

Elle hocha la tête sans répondre.

— Et vous, pourquoi n'avez-vous pas fait ce choix ?

— Je pensais pouvoir m'en sortir seule.

— Jusqu'à ce que vos rêves vous envoient au Centre Culturel pour un séminaire où vous ne seriez pas obligée de donner votre nom, où vous pouviez être un visage anonyme dans la foule. Si vous ne veniez pas à bout des tâches qu'on vous donnerait, personne n'aurait à le savoir.

Ses yeux remontèrent vers les siens et elle demanda :

— Vous vous rendez bien compte que votre façon de « lire » les autres est assez inquiétante par moments ?

— Je ne cherche jamais à vous mettre mal à l'aise.

Elle hocha légèrement la tête, et il sut qu'elle le croyait.

— Vous pensez que Todd s'est présenté à ce séminaire pour les mêmes raisons que moi ?

— C'est difficile à dire sans le connaître.

— J'aimerais le savoir, dit-elle. J'aimerais savoir tout ce que je peux savoir sur lui. Comment ferez-vous pour obtenir des informations ?

— Le plus simple serait de s'adresser directement à lui.

— Non, ne faites pas ça. Je ne veux pas qu'il sache, pour le bébé. Pas encore.

— Vous allez porter ce bébé jusqu'au bout ?

Depuis qu'il avait vu les photos décorant les murs de sa cuisine, il connaissait la réponse. Quand elle hocha la tête, il demanda encore :

— Et vous parlerez de lui à Todd ?

— Seulement si ce doit être bon pour l'enfant.

— Comment cela ?

Elle se détourna pour contempler par la fenêtre le velours noir de la nuit. Il fut saisi par l'intensité de son expression.

— Paul avait trente-trois ans quand il m'a demandé de l'épouser. Sa vie était sur les rails, il se sentait prêt à devenir un mari et un père. Je lui ai tout de même demandé d'attendre un an avant de nous marier. Et ensuite, je l'ai persuadé de patienter encore deux ans avant de fonder une famille. Je voulais être sûre que notre amour durerait. Il fallait que je sois sûre.

— Pour les enfants que vous auriez, devina-t-il.

Elle approuva de la tête.

— Les enfants ont une meilleure chance dans la vie s'ils ont deux parents sur qui ils peuvent compter — mais il faut que les deux parents partagent ce point de vue. Dans le cas contraire, l'enfant se débrouille mieux avec un seul.

— Donc, vous ne parlerez du bébé à Todd que s'il s'avère être le genre d'homme sur qui on peut compter.

— Voilà pourquoi je dois en savoir le plus possible à son sujet.

Maintenant, il comprenait mieux son étrange requête. Il comprenait aussi pourquoi elle n'avait pas eu d'enfants avec son mari. Paul Carter et elle n'avaient eu que quatorze mois de vie commune.

— Il serait temps que je vous ramène chez vous, dit-il.

Elle se leva et se tint devant lui, le regard levé vers le sien.

— Vous vous renseignerez sur Todd ?

Elle était si adorable, et il ne pouvait rien faire de plus que le travail pour lequel elle l'avait embauché.

— En commençant demain à la première heure, promit-il.

— Je peux venir avec vous ?

La requête le prit de court.

— Mais… c'est souvent un processus long et ennuyeux…

— La photo de nature aussi. Et pourtant, le fait de décrocher une bonne photo compense tout le reste.

— Je ne crois pas...

— La seule alternative est de rester à tourner en rond chez moi. Maintenant que je sais qui est Todd, je dois découvrir quel genre d'homme il est. Qu'en dites-vous ?

Il dit « d'accord », parce que tant qu'elle se trouvait si près de lui, il était incapable de dire autre chose. Pourtant, c'était sans doute une nouvelle erreur.

Paul serrait la main de Susan dans la sienne et ils marchaient entre deux rangées de voitures de collection. Ces voitures, qui ne signifiaient pas grand-chose pour elle, étaient la passion de Paul qui en exposait une lui-même. Il avait insisté pour qu'ils fassent le tour de la halle avant l'ouverture officielle des portes et elle s'était laissée convaincre, parce qu'elle savait que cela lui ferait plaisir de lui montrer les différents modèles avant l'arrivée du commun des mortels.

— Voilà une Auburn de 1932, modèle 8-100A, disait-il.

A ses yeux, elle ressemblait à toutes les autres vieilles guimbardes qui les entouraient, à part pour son pare-chocs bleu. Elle s'efforça d'avoir l'air impressionnée.

— En 1932, Auburn proposait deux moteurs différents, dit-il en lui lâchant la main pour mieux examiner la voiture. Le huit cylindres classique et le tout nouveau 6-cylindres en V. Ce bébé coûte dans les cent vingt mille dollars.

— On dirait qu'elle n'a pas de chauffage, observa-t-elle en se demandant qui paierait un prix pareil pour une voiture aussi peu pratique.

— Hé, je ne savais pas qu'il y en aurait une ! s'exclama-t-il en se précipitant vers la voiture suivante. Regarde, une Mercedes décapotable de 41, la série 62. Regarde cette grille de ventilateur ! Regarde ce profil classique ! Non, mais tu as déjà vu un truc aussi génial ?

Bien sûr ! Elle ressemblait à toutes les voitures de gangsters dans les vieux films que Paul aimait tant.

— Tu ne vas pas le croire, mais cette beauté ne coûte que soixante-cinq mille dollars.

— C'est du vol, commenta-t-elle en essayant de ne pas sourire. Alors, tu vas revendre ta propre Chevy 1957 ?

Il lui lança un regard noir : on ne plaisantait pas avec ces choses. S'approchant de sa propre voiture, la suivante de l'exposition, il caressa son aile avec la tendresse d'un amant.

— Je ne vendrai jamais ce bébé. On sera enterrés ensemble. Viens là, Suz.

Elle le rejoignit, prit la main qu'il lui tendait. D'un geste vif, il ouvrit la portière et se glissa à l'intérieur.

— On se fait des choses sur la banquette arrière ?

Elle éclata de rire.

— On ne peut pas ! Ils vont ouvrir les portes d'une minute à l'autre, la salle sera pleine de monde.

Il lui lança un sourire impudent.

— Ça nous laisse vingt minutes.

— Qu'est-ce qu'on fait avec les dix-neuf de trop ?

— Ça, tu vas me le payer, dit-il en l'attirant près de lui.

— Non, sérieusement, Paul. Ce n'est pas une bonne idée. Surtout pas dans une décapotable !

Il déboutonnait déjà son corsage.

— Mm. Une décapotable, c'est sexy.

— Mais si quelqu'un...

— Ne t'en fais pas, Suz', dit-il en fourrant son nez dans son cou de la façon qui stoppait net toute pensée cohérente. Nous avons tout notre temps.

Dans le mouvement qu'elle fit pour le prendre dans ses bras, elle se réveilla et s'aperçut qu'elle enlaçait un oreiller. Encore un rêve.

Elle ouvrit les yeux dans la pénombre de sa chambre, l'oreiller serré sur son cœur. Elle se souvenait bien de cette exposition de voitures de collection, de l'excitation de Paul… et même de sa petite phrase sur le fait d'être enterré avec la sienne. Sa prédiction s'était réalisée, car la Chevy avait brûlé en même temps que lui.

Une autre circonstance lui revenait tout à coup. Pendant qu'ils se faisaient « des choses » sur la banquette arrière, l'organisateur de l'exposition était passé. Elle avait à peine eu le temps de se couvrir. Quelle humiliation !

C'était curieux mais elle avait oublié cela — jusqu'à ce que le rêve le lui rappelle.

— Je n'ai pas bien compris pourquoi nous roulons vers ce trou perdu, dit Susan en ravalant un bâillement.

David lui jeta un regard rapide. Assise près de lui à l'avant de son pick-up, elle était ensommeillée et très douce dans son gros pull bleu-vert et son pantalon gris. Quand elle lui avait ouvert la porte quelques minutes plus tôt, il avait dû se retenir de la renvoyer au lit... et de l'y rejoindre.

— Todd a fait ses études à l'université de Washington, expliqua-t-il.

Elle caressa Chou qui dormait, roulé en boule sur ses genoux. Il n'avait pas prévu que le chien participe aussi à l'expédition mais il semblait si désespéré en voyant qu'on le laissait qu'il s'était entendu proposer de l'emmener. Quel sourire elle lui avait offert ! Il allait devoir terminer cette enquête au plus vite, les réactions qu'elle suscitait en lui devenaient de plus en plus difficiles à gérer.

— Moi aussi, j'ai fait mes études à l'université de Washington, dit-elle. Depuis quand donnent-ils des cours dans des villages minuscules de l'autre côté du Sound ?

— Ils ne le font pas, que je sache, mais l'ancien responsable de thèse de Todd est de Seaview. Ce matin, il se trouve à un vide-grenier organisé pour venir en aide à une famille qui a des soucis financiers.

— Vous allez l'interroger au sujet de Todd ?

— Exactement.

— Il n'acceptera peut-être pas de parler d'un ancien élève.

— Faire parler les gens, ça fait partie de mon boulot.

— Vous vous y prenez comment ?

— Le plus simple est de trouver un sujet qui les intéresse. On bavarde un peu et il suffit d'attendre le bon moment pour orienter la conversation dans le sens voulu.

— J'aimerais être là quand vous lui parlez.

— Si vous voulez.

— Qu'est-ce que Todd étudiait ?

— Il a une maîtrise de biochimie.

Elle sembla mieux réveillée tout à coup.

— Une maîtrise ?

L'approbation dans sa voix le mit un peu mal à l'aise mais il tenta de se raisonner. Pourquoi ne serait-elle pas contente : c'était positif pour l'enfant que le père ait un cerveau correct. Pourtant, sa satisfaction le troublait. Espérait-elle que Todd et elle… Très fermement, il se dit que cela ne le regardait pas.

— Comment avez-vous découvert tout cela sur ses études ?

— Les archives de la fac. Maintenant que j'ai son nom, sa date de naissance et son adresse actuelle, c'était assez simple.

— Et en dehors de ses études, qu'avez-vous trouvé ?

— Il n'a pas de casier judiciaire, n'a intenté aucune action en justice — pas dans cet Etat en tout cas. Il n'a jamais été dans l'armée. Je n'ai trouvé aucune trace d'un mariage.

— Vous avez fait toutes ces recherches après m'avoir déposée hier soir ? Vous ne dormez jamais ?

— J'avais découvert le plus gros hier après-midi, avoua-t-il. Après avoir fait le rapprochement entre les deux Tishman : celle dans l'épave de l'avion et celui à qui appartenait le véhicule mal garé près du Centre Culturel.

— Vous saviez que c'était Todd avant même de me montrer la photo.

— Je ne pouvais pas être certain tant que vous ne l'auriez pas identifié, mais les faits parlaient d'eux-mêmes. La photo de son permis correspondait à votre description ; quand je l'ai comparée à la photo de la bande du Centre, il y avait aussi des ressemblances.

— Eh bien, jusqu'ici, ce sont plutôt de bonnes nouvelles. Ni criminel, ni marié… Il a fait des études et il n'a pas menti au sujet de la mort de sa mère.

— Si vous avez envie de fêter ça, il y a un café un peu plus loin où ils servent un excellent cappuccino et des muffins.

— Je vous en prie, non. Ne prononcez même pas des mots pareils aussi tôt le matin.

— Vous avez toujours vos nausées ? Combien de temps vont-elles durer ?

— J'aimerais le savoir ! Si vous avez envie de vous arrêter, allez-y. Chou sera enchanté de regarder les cartes postales.

— Les cartes… répéta-t-il, perplexe. Vous voulez dire les messages laissés par les autres chiens ?

— Vous êtes rapide.

Réprimant un pincement de joie, il se hâta de demander :

— Il n'y a rien que vous puissiez faire pour ces nausées ?

— La seule chose que je n'aie pas encore essayé après avoir lu tous les conseils affichés sur internet, c'est de me nourrir par intraveineuse.

Il dut se mordre la lèvre pour ne pas sourire.

— Les vieilles routières recommandent d'avoir quelque chose dans le ventre en permanence, ajouta-t-elle. J'ai bien essayé de manger des biscuits salés avant de me lever mais le seul résultat, c'est que maintenant, les biscuits salés me donnent la nausée.

Il passa devant le café sans s'arrêter. Il n'avait rien avalé ce matin puisqu'il prévoyait de s'arrêter ici, mais cela lui semblait impossible de manger alors que Susan ne le pouvait pas.

Quelques poches de ciel bleu se dégageaient entre les nuages. Il se carra sur son siège, ignorant résolument la faim pour se concentrer sur le paysage. Ils suivaient une petite route sinueuse longeant le joyau de la région, le Canal Hood, un long fjord naturel creusé par les glaciers et envahi par l'océan Pacifique. Le coup d'œil était splendide ; sous ce soleil inattendu, l'épaisse forêt longeant la berge luisait d'un feu émeraude. Puis le rideau des arbres s'écarta tout à coup, révélant une étendue d'eau d'un bleu profond. Deux otaries s'étiraient paresseusement sur la grève, éblouies par le soleil. Chou se leva d'un bond et se mit à aboyer comme un fou, les pattes avant sur le rebord de la vitre.

— Vous voulez qu'on s'arrête pour le laisser courir un peu ?

Elle secoua la tête.

— Il irait ennuyer les otaries. Il s'amuserait beaucoup mais je doute qu'elles apprécient.

Lui appréciait son attitude. Elle aimait beaucoup son petit chien mais ne lui passerait pas un caprice si cela signifiait qu'il irait déranger d'autres animaux.

Moins d'une heure plus tard, ils arrivaient à destination. L'agglomération de Seaview ressemblait à beaucoup de petites communes rurales de l'est de l'Etat, excepté son site incomparable, à flanc de colline, au-dessus d'une demi-lune de sable fin et sur un fond spectaculaire de montagnes. La petite route menant de la nationale au cœur du village était bordée de pins gracieux ; ils virent d'abord des maisons modestes mais bien entretenues avec des jardins fleuris, puis le quartier commercial de la rue principale : une station-service à pompe unique, un magasin généraliste, la poste, une pizzeria, un café, un antiquaire, une auberge et une demi-douzaine de petits magasins en tout genre. Tout au bout, une enseigne de *Bed & Breakfast* se balançait au fronton d'une très jolie maison perchée sur une petite butte herbeuse où broutaient des moutons frisés. En face se dressait l'école primaire de Seaview.

David obliqua vers cette dernière, se gara sur le parking à demi rempli et coupa le contact. D'un regard rapide, il étudia les rues avoisinantes et les véhicules déjà garés.

— C'est ici que se tient le vide-grenier, dit-il en levant les yeux vers l'école primaire — manifestement une ancienne grange. Le responsable de thèse de Todd fait le commissaire-priseur.

Elle ouvrit sa portière en sortant une laisse de son sac.

— Allez-y. Je promène un peu Chou et je vous retrouve à l'intérieur.

Il pénétra dans l'école et se retrouva dans un couloir central entre des salles de classe vides. Un tableau en papier portait l'inscription « Par Ici », soulignée d'une grande flèche. Il s'avança jusqu'à la grande porte vitrée s'ouvrant à l'arrière du bâtiment et déboucha dans un pré. Une petite foule s'était rassemblée au centre, sur quelques rangées de chaises métalliques, devant plusieurs grandes tables dressées bout à bout et couvertes d'un assortiment bizarre d'objets dépareillés. L'assistance reflétait l'atmosphère bon enfant de Seaview : des enfants couraient dans l'herbe rase, des personnes âgées s'appuyaient sur leur canne. Ces gens n'étaient pas venus chercher la bonne affaire mais pour aider un voisin.

Derrière la table se tenait un petit homme aux cheveux gris et au visage rougeaud. Le professeur Edwin Bateman (David avait vu sa photo sur le site Web de l'université de Washington) brandissait un très vieux téléphone comme s'il s'agissait d'un objet rare et précieux. D'une voix émerveillée de gosse qui trouve un cadeau inattendu sous son arbre de Noël, il s'écriait :

— Regardez-moi ce magnifique téléphone ancien, avec un cadran véritable ! Ne me parlez pas de ces boutons qui n'arrêtent pas de se coincer ! Vous voyez la marque, sur le socle ? Ça veut dire que c'est une série d'origine de la marque Bell. On n'en trouve plus, de nos jours.

Si David n'avait pas été certain du contraire, il l'aurait pris pour un marchand de voitures d'occasion. Son enthousiasme était communicatif, plusieurs mains se levaient déjà. Le vieux téléphone se vendit en moins de deux minutes pour vingt-cinq dollars. Tandis que l'heureux acheteur se dirigeait vers une grosse dame en chandail qui semblait faire office de secrétaire, David remarqua la fausse note de la scène : un couple d'un certain âge qui n'était pas à sa place dans ce décor. Ils portaient des vêtements coûteux mais délibérément dépareillés ; les cheveux blonds de la femme étaient passés récemment entre les mains d'un grand coiffeur.

Ils ne s'intéressèrent ni au téléphone, ni aux deux objets suivants, des bricoles sans grande valeur que Bateman parvint pourtant à présenter comme de véritables trésors. Quelque chose les avait pourtant amenés ici. Lorsque le commissaire-priseur improvisé tendit la main devant un ours en peluche pour s'emparer d'une girouette en forme de coq, David vit l'homme sursauter, jeter un regard nerveux à la femme et essuyer ses paumes moites sur son jean de marque — et il comprit tout à coup pourquoi ils étaient là.

— Nous allons faire une pause de quinze minutes, annonça Bateman. Il y a des boissons et des cookies sur cette table. Tout est à 50 *cents*, et l'argent sera versé aux Meyerson.

L'assistance se leva, s'étira et se dirigea en bon ordre vers la table des rafraîchissements. David chercha Susan des yeux et la trouva assise sur un tronc couché en bordure du pré, parfaitement immobile, son appareil photo vissé à l'œil ; près d'elle, Chou reniflait les buissons au pied de la clôture. Il se dirigea vers elle en s'immobilisant à quelques mètres pour suivre son manège. Lentement, elle tendit le bras. Sur sa paume reposait une graine de tournesol. Il aperçut enfin le minuscule oiseau brun perché devant elle, son regard brillant braqué sur la graine. Pendant un instant, ils restèrent figés tous les deux… puis l'oiseau sauta d'une détente sur sa paume, saisit la graine et resta perché là plusieurs secondes. Le déclencheur fit un bruit discret, l'oiseau s'envola et elle leva vivement la tête pour le suivre des yeux. Il se mit en marche vers elle.

— Vous emportez toujours votre appareil et des graines pour les oiseaux ?

— On ne sait jamais quand on peut tomber sur un bon cliché — mais aucun appareil ne peut saisir cette sensation magique quand un oiseau se perche sur votre main.

Il aurait aimé pouvoir capturer l'expression de bonheur de son visage !

— Notre commissaire-priseur fait une pause, dit-il. On ne peut pas savoir combien de temps durera la vente, ce serait sans doute le meilleur moment de lui parler. Vous voulez toujours assister à la discussion ?

— Tout à fait, dit-elle en rangeant son appareil.

Il lui tendit la main pour l'aider à descendre de son perchoir. Sans hésitation, elle lui donna la sienne. Il sentit la chaleur lisse de sa peau, la fermeté de sa paume ; c'était la première fois qu'elle acceptait son aide. Le fait de lui donner sa main était un acte de confiance, il le sentait bien. Il en ressentit une satisfaction profonde et se jura de ne jamais rien faire pour perdre cette confiance.

— Vous avez de grandes mains, dit-elle.

Il s'aperçut alors qu'il tenait sa main entre les deux siennes. Immédiatement, il la lâcha en reculant d'un pas.

— Allons parler au professeur Bateman.

7.

Ils trouvèrent le professeur près de la table des boissons. Assoiffé, il vidait d'un trait un grand gobelet de soda. Susan décida de rester un peu en retrait, sans faire sentir sa présence, en demandant un café pour justifier sa présence ici. Tout en prenant position, elle ne put s'empêcher de penser à ce qui venait de se passer.

David ressentait quelque chose en sa présence… mais quoi ? Elle n'était pas du tout certaine que ce soit de l'attirance. Ses mains avaient serré la sienne bien plus longtemps que nécessaire, mais ce geste pouvait simplement refléter sa courtoisie habituelle. David était cet oiseau rare, un homme qui ouvre les portes aux femmes, les aide à descendre de voiture — et les porte, elles et leur matériel photo, sur deux kilomètres de sentier forestier quand elles s'évanouissent. Plus elle passait de temps en sa présence, plus elle appréciait ces qualités chez lui…

Elle le vit donner un dollar à la grosse dame, se verser un café et prendre un cookie avant de se tourner vers Bateman, qui terminait sa boisson.

— Je vous en offre un autre ? proposa-t-il.

— Merci !

Il laissa choir un nouveau billet dans la caisse et jeta au professeur un regard interrogateur.

— Le soda, précisa ce dernier.

Souriant, David remplit son gobelet.

— Si je comprends bien, les Meyerson ont eu des coups durs, récemment ?

— Très durs, confirma Bateman. Joe a fait une mauvaise chute au boulot, il s'est abîmé le dos. Il n'était pas encore remis quand Margie s'est fait renverser par un chauffard il y a quinze jours. Elle sort tout juste de l'hôpital mais elle aura encore son plâtre pendant cinq semaines. On ne sait même pas quand Joe pourra retravailler, et avec les quatre gamins...

— Leurs voisins ne les ont pas laissés tomber, dit David avec un geste vers les tables couvertes d'objets hétéroclites.

— Ce sont de braves gens, répondit Bateman avec chaleur. Mais bon... même si nous réussissons à rassembler mille dollars aujourd'hui, ça ne payera que quelques factures et une traite sur leur mobile home.

— Vous ferez bien mieux que ça, murmura David avec un geste discret vers l'ours en peluche. Vous avez là un ours de la fabrique Steiff datant de 1905. Il y a quelques années, on en a vendu un aux enchères pour 185 000 dollars... et il n'était pas en aussi bon état que celui-ci.

Susan en resta bouche bée. De son côté, Bateman regardait l'ours, abasourdi.

— Ce nounours... c'est une antiquité ?

David le souleva délicatement de sa place et le lui tendit avec précaution.

— Ce serait peut-être une bonne idée de l'enrouler dans une étoffe pour le protéger.

Le professeur serra le petit ours sur son cœur ; toujours sans élever la voix, David reprit :

— Vous voyez le couple d'un certain âge, là-bas ? S'ils ne vous en offrent pas au moins 185 000 dollars, appelez-moi. Je vous mettrai en contact avec une personne qui sera prête à les payer.

Glissant la main sous son pull, il sortit une carte professionnelle de la poche de sa chemise. Bateman la lut et Susan vit ses yeux s'écarquiller un peu. Se retournant à demi, il jeta un regard soupçonneux aux intrus qui se tenaient à l'écart, sirotant leur café en silence.

— Ils sont venus m'en proposer quinze dollars avant les enchères, s'écria-t-il, outré. Je leur ai répondu que des familles allaient venir avec leurs enfants, que je préférais les attendre. Ils ont dit qu'aucun gosse ne voudrait d'un vieil ours râpé.

— Dans ce cas, ne leur vendez pas à moins de 200 000 dollars, répliqua David.

— J'ai plutôt envie de leur dire que je l'ai jeté à la décharge. Qu'ils passent quelques jours à la fouiller ! grogna Bateman en empochant la carte de David.

Susan dut se retenir de rire. De l'autre côté de la table, David demandait :

— Qui a donné cet ours à la vente ?

— Une de nos vieilles dames l'a trouvé dans une malle dans son grenier. Il appartenait à sa mère. Sa sœur et elle préféraient leurs poupées, ce qui explique sûrement pourquoi il est en si bon état.

— Vous pensez qu'il y aura un problème de ce côté ?

— Oh, non. Je lui dirai qu'il a beaucoup de valeur, bien sûr, mais je suis sûr qu'elle ne voudra pas le reprendre. Elle est adorable, le genre de femme à donner tout ce qu'elle a pour aider quelqu'un. Elle sera enchantée de savoir que sa donation peut tirer les Meyerson d'affaire. D'ailleurs, ils voudront vous remercier en personne pour ce que vous venez de faire, monsieur Chevallier.

— Mais non, professeur, ce n'est pas nécessaire. Vous, en revanche, vous pouvez faire quelque chose pour moi.

Le petit homme le regarda, surpris.

— Vous savez qui je suis ?

— Je sais que vous étiez le responsable de thèse de Vance Tishman, à l'université.

Le petit homme fronça les sourcils, perplexe.

— Vance… ?

— J'aurais dû dire Todd Tishman, se hâta de corriger David. Si je comprends bien, il ne se sert pas de son premier prénom.

— Oui, Todd, bien sûr ! s'écria le professeur. Oui, Todd a terminé ses études il y a deux ou trois ans.

Il ne m'a pas menti au sujet de son nom, pensa Susan.

— Vous enquêtez sur Todd ? Il a fait quelque chose ?

— Il n'a rien fait, non, mais j'ai besoin de savoir quel genre de garçon il est. Vous accepteriez de me parler de lui ?

— Oui, bien sûr. Ce n'est pas très orthodoxe mais à vous, je peux bien parler. Qu'est-ce que vous voulez savoir ?

Susan réprima un sourire. David venait de rendre un grand service aux Meyerson et il s'était présenté franchement, sans chercher à cacher sa qualité de détective. La franchise était payante !

— Quel genre d'étudiant était-il ? demandait-il.

— Très consciencieux, très travailleur, très intelligent. Il se situait toujours dans le quart supérieur de sa classe.

— Et pour le reste ?

— Dans notre département, nous tenons à entretenir une ambiance très amicale, très interactive. Nous appelons les étudiants par leurs prénoms et nous les encourageons à travailler en équipe. Les vrais échanges d'idées ont lieu quand les professeurs et les étudiants se connaissent personnellement. Todd avait… des difficultés sur ce plan.

— Quel genre de difficultés ?

Bateman jeta un regard rapide à la ronde. Si le fait de parler à David ne lui posait pas de problème, il ne tenait manifestement pas à mettre n'importe qui au courant des problèmes de ses étudiants. Lui tournant négligemment le dos, Susan s'accroupit pour caresser Chou. Celui-ci, enchanté, roula immédiatement sur le dos. Cachée par la table, elle lui frotta la poitrine en écoutant la conversation qui reprenait derrière elle.

— Todd était introverti, très timide, entendit-elle.

Oui, cela, elle l'avait bien senti.

— Il avait des convictions très fortes, mais beaucoup de mal à les exprimer. La communication n'était pas son fort, et il ne savait absolument pas négocier un compromis. Il avait tendance à faire les choses dans son coin, à sa manière, sans tenir compte de la décision du groupe. Le jour où il a soutenu sa thèse, il a gardé les yeux rivés sur ses notes, en parlant si bas qu'on l'entendait à peine.

Susan se souvint de la voix très douce du jeune homme, de sa réticence à croiser son regard.

— C'est à cause de cette timidité qu'il n'a pas poussé ses études plus loin ? demanda David.

— Non, sa thèse me posait problème. Nous n'avons pas pu nous mettre d'accord et il a préféré abandonner.

Il y eut quelques secondes de silence ; elle supposa qu'il vidait son verre. Après quelques instants de réflexion, il reprit :

— Dans notre département, nous attachons beaucoup d'importance au fait d'utiliser une approche pluridisciplinaire. L'approche de Todd n'était pas réaliste. Franchement, je trouvais ses positions intenables, et sa thèse impossible à publier — en tout cas, pas dans l'immédiat.

— Sur quoi portait sa thèse ?

— Sur le contrôle biologique des insectes ravageurs par voie d'augmentation.

— Augmenter la population d'un prédateur naturel pour contrôler un insecte ravageur ?

— Oui, convint Bateman, l'air surpris.

Susan aussi se demandait comment il connaissait ce terme technique ! Elle-même avait étudié les sciences naturelles, mais lui ?

— En quoi ses arguments étaient-ils peu réalistes ?

— Il pensait pouvoir développer simultanément une demi-douzaine de prédateurs naturels plus efficaces, qui travailleraient ensemble pour éradiquer un ravageur unique dans un seul cycle de vie.

— Il y a déjà des travaux de ce genre, non ?

— De ce genre, oui, mais ce sont des projets beaucoup plus modestes ! Et ils ont lieu dans des laboratoires très bien subventionnés, avec des douzaines de chercheurs qualifiés travaillant ensemble ! Les prédateurs naturels sont souvent sensibles aux mêmes insecticides que leurs proies, ce qui fait qu'il est très difficile d'obtenir de bons résultats avec eux.

— En quoi l'approche de Todd était-elle différente ?

— Il exigeait pour ses super prédateurs un environnement totalement « propre », sans insecticides. J'ai eu beau lui répéter... Même si les agriculteurs acceptaient de renoncer aux pesticides, les résidus restent dans le sol pendant des années ! J'ai tenté de l'amener à infléchir ses positions, à argumenter pour une réduction progressive des produits, jointe à une introduction progressive des prédateurs. Un environnement ne se modifie pas d'un coup de baguette magique ! Il a refusé tout compromis, et a basé tout son travail sur une absence totale de chimie.

D'autres voix interrompirent la discussion. Deux femmes venaient d'aborder le professeur, lui demandant quand la vente allait reprendre. Gaiement, il leur promit d'être à elles dans quelques instants.

— Je ne vais pas vous retenir beaucoup plus longtemps, dit David. Qui étaient les amis de Todd en fac ?

— Il ne s'est pas fait d'amis parmi les autres étudiants, n'a jamais participé à leurs fêtes. Il restait dans son coin. Pas d'amis, pas de copine, pas de famille… Non, là, j'exagère : un jour, sa mère est venue le prendre après les cours. Tout au moins, je suppose que c'était sa mère, il y avait une ressemblance très nette.

— Todd a décroché un poste en quittant la fac ?

— Je lui ai dit que je serais heureux de le recommander pour n'importe lequel des postes figurant à notre tableau d'affichage. Il m'a remercié, en disant qu'un membre de sa famille lui offrait un poste de chercheur dans une compagnie de produits chimiques.

— Vous vous souvenez du nom de ce parent, ou celui de la compagnie ?

— Ni l'un ni l'autre. Todd ne parlait pas de sa vie privée, et surtout pas de sa famille. J'ai l'impression qu'ils doivent avoir de l'argent : c'est l'un des seuls parmi nos étudiants à n'avoir jamais eu besoin d'assistance financière.

David le remercia chaleureusement, lui serra la main et lui souhaita bonne chance pour la fin de la vente. Se remettant discrètement sur pied, Susan vit le professeur envelopper soigneusement l'ours ancien dans son blouson et le ranger dans un carton avant de remonter sur son estrade. Ferait-il vraiment croire aux deux antiquaires que le trésor était parti à la décharge ? Lui adressant un léger signe de tête, David s'éloigna vers le bâtiment. Bientôt, elle le rejoignit, Chou trottant joyeusement au bout de sa laisse.

— C'était fantastique, s'écria-t-elle avec chaleur.

— C'était surtout un coup de chance.

Il cherchait à minimiser ce qui venait de se passer, mais sa satisfaction était palpable.

— Comment avez-vous su, pour l'ours Steiff ? demanda-t-elle tandis qu'ils traversaient l'école silencieuse.

— Un bon détective cherche à tout retenir, dans tous les domaines. On ne sait jamais quelle information peut être utile un jour.

— Et cette information au sujet des ours en peluches, d'où a-t-elle pu vous venir ?

— D'une revue de collectionneurs. J'ai lu l'article dans la salle d'attente de mon dentiste, il y avait une photo de l'ours qui venait d'être vendu aux enchères.

Ils atteignirent le pick-up. David déverrouilla la portière du passager ; Chou monta d'un bond, mais Susan se retourna pour lui demander :

— Si vous aviez seulement vu une photo, comment pouviez-vous savoir que ce n'était pas une copie ?

— A cause de ce couple qui attendait pour l'acheter. C'est encore une ficelle du métier : on regarde les gens, on remarque leurs voitures. Vous voyez cette camionnette là-bas, avec le logo d'un antiquaire ?

Il tendait la main vers une rue latérale. Surprise, elle se retourna. Il restait beaucoup de place sur le parking de l'école mais la camionnette était garée à l'écart, masquée par un arbre. Elle comprit que le chauffeur l'avait placée là délibérément. Elle comprit également que David ne se contentait pas d'observer : il savait tirer les conclusions de ce qu'il voyait. Pensive, elle se glissa sur la banquette.

— Vous aviez raison au sujet de Todd, dit-il au bout de quelques kilomètres. C'était bien un timide, un introverti.

— Ce sont les trois mots les plus difficiles qu'un homme puisse dire à une femme.

— Les trois mots... ? répéta-t-il, perplexe.

— « Vous aviez raison », expliqua-t-elle avec entrain. « Je vous aime », ce n'est rien à côté, n'importe qui peut trouver le courage de le dire.

Elle vit les coins de sa bouche se retrousser.

— Vous n'avez peut-être pas tort.

— Désolée, répliqua-t-elle sévèrement. « Peut-être », ça gâche tout. Il faut que ce soit très précisément : « Vous avez raison ». Tout le reste, c'est tourner autour du pot.

Cette fois, il rit franchement — elle sentit son rire vibrer dans sa propre poitrine.

— Il y a des barres aux céréales dans la boîte à gants, dit-il. Vous voulez bien m'en passer une ?

— Vous n'avez rien mangé ce matin, n'est-ce pas, gronda-t-elle en se souvenant de sa tirade au Camp Long. Je vous prenais pour un professionnel. Vous devriez pourtant savoir qu'on n'entame pas une longue matinée de travail sans rien dans le ventre.

Il rit encore.

— Touché ! Vous pensez que votre estomac accepterait de prendre un peu de nourriture ?

— Ne prononcez même pas ce mot !

Décidément, elle aimait l'entendre rire. Choisissant ses mots avec soin, il reformula sa question :

— Il y a un établissement à quelques kilomètres qui sert un bon petit déjeuner chaud. Ou des fruits frais, si vous préférez.

— Vous semblez connaître tous les bons coins. Vous venez souvent par ici ?

— Je passe de loin en loin, mais comme je préfère mourir de faim plutôt que faire des courses, et comme je suis le pire cuisinier de tous les Etats-Unis, j'essaie de découvrir les meilleurs endroits, où que je sois.

— Je suis contente que vous m'ayez dit ça.

— Que je suis le guide officiel des restaurants du Puget Sound ?

— Non, que vous étiez un cuisinier épouvantable. Je commençais à croire que vous saviez tout faire, cela devenait agaçant. Vous avez brûlé beaucoup de casseroles ?

— Vous n'avez pas besoin de prendre cet air satisfait.

Il lui jeta un bref coup d'œil, prêt à se vexer. Une expression charmante, décida-t-elle. Il était vraiment très agréable quand il s'autorisait à se détendre un peu. Bien sûr, un détective privé ne pouvait pas se permettre de se détendre trop s'il voulait se concentrer sur l'enquête en cours — et ils étaient uniquement ensemble pour faire avancer l'enquête. Cela devenait pourtant de plus en plus difficile de s'en souvenir. Le soleil brillait, elle se trouvait auprès d'un homme intelligent, courtois, plein de gentillesse, beau gosse et absolument charmant quand il se décidait à l'être. Stoppant net cette pensée, elle murmura :

— Je prendrais bien une salade de fruits…

David ne s'y trompa pas, elle avait uniquement proposé de s'arrêter pour qu'il puisse manger quelque chose. Il ne s'en plaignait pas, bien au contraire ! En s'attaquant à ses œufs et ses muffins beurrés, il décida qu'il appréciait beaucoup de choses chez elle. Elle était gentille, drôle, il aimait sa compagnie. En règle générale, il préférait travailler seul mais aujourd'hui…

Il termina son assiette, leva les yeux et surprit son regard sur lui. Elle eut beau détourner instantanément la tête, l'expression approbatrice de son regard ne lui avait pas échappée. Cela lui fit si chaud au cœur qu'il se hâta de dresser mentalement une nouvelle liste, citant toutes les raisons pour lesquelles son approbation ne devait pas compter pour lui.

— J'adore le soleil, dit-elle en levant le visage vers la vitre. Sûrement parce qu'on le voit si rarement en cette saison. Les choses rares sont toujours les plus précieuses…

Son regard était revenu vers le sien. Il regarda la lumière jouer sur sa peau, ses cheveux. Rare et précieuse… Respirant à fond, il se secoua mentalement et demanda :

— Dites-moi, que pensez-vous de la réaction du professeur Bateman à la thèse de Todd ? demanda-t-il.

— Ce serait injuste de donner une opinion sans l'avoir lue.

— Oui, mais d'après ce que nous savons ?

— Je suis pour l'augmentation. L'utilisation des prédateurs est bien plus intéressante que celle des pesticides, qui sont aussi dangereux pour les humains que pour les ravageurs. En même temps, les moyens de contrôle biologiques demandent une gestion plus serrée, du temps, de la présence, beaucoup d'information et de formation. Et dans un premier temps, les pesticides sont bien moins coûteux. Il est difficile de convaincre un agriculteur qui dépend entièrement de la vente de sa récolte de renoncer aux produits qui fonctionnent pour lui, pour passer à une méthode plus lente et plus onéreuse.

Ses arguments étaient concrets, réalistes. Manifestement, ce qu'elle ressentait pour Todd ne brouillait pas son jugement.

— Comment vous y prendriez-vous pour convaincre le cultivateur ?

— Je pense que le professeur suggérait la bonne approche, dit-elle en s'accoudant, bras croisés, sur la table. Commencer par une réduction des pesticides en lâchant simultanément des prédateurs. Si les résultats sont bons, il pourra continuer à réduire les produits, et les abandonner tout à fait quand il verra qu'il peut compter sur ses prédateurs. Personnellement, j'éliminerais les pesticides demain si je le pouvais mais le plus souvent, l'approche progressive est la seule réaliste.

— C'est difficile d'être patient quand on voit les dégâts qu'on inflige à la nature.

Elle approuva de la tête.

— L'une des premières choses qu'apprend un photographe, c'est de ne pas déranger l'équilibre du sujet. Parfois, il suffit de retirer les feuilles mortes au pied d'une plante pour la tuer, si elle dépend de la décomposition de ces feuilles pour se nourrir. Si la plante meurt, d'autres formes de vie qui dépendaient d'elle peuvent mourir aussi. La vie est à la fois indestructible, capable de supporter les environnements les plus hostiles, et très fragile.

Il aima sa façon calme de dire cela, avec une conviction tranquille, mais sans amertume et sans passion. Elle n'était pas une terroriste écologiste qui ne voit que le but à atteindre, elle semblait aussi équilibrée que la nature à laquelle elle était si profondément attachée.

— Comment êtes-vous devenue photographe ? demanda-t-il.

— Je vais faire un marché avec vous. Je vous répondrai si vous me dites comment vous êtes devenu détective privé.

Et voilà, il venait de tout gâcher ! Pourquoi avait-il fallu qu'il pose cette question ? Il prenait un tel plaisir à cette discussion ! Elle le regardait amicalement, sa voix était naturelle et détendue, elle ne se doutait pas qu'elle lui demandait de relater le choc le plus dévastateur de son existence. Même s'il l'avait voulu, il se sentait incapable d'aborder un sujet aussi intime avec elle. Elle était tout de même sa cliente. Sa trop belle, trop intelligente, bien trop attirante cliente.

Poussant sa tasse de café, il lança :

— Si vous ne comptez pas manger votre salade de fruits, je pense que nous devrions y aller.

Sans attendre de réponse, il fit signe à la serveuse d'apporter la note.

Alice Chevallier dévisagea son fils, interdite. Il était arrivé deux heures en avance pour déjeuner avec elle et venait de poser une question plus qu'insolite.

— Les nausées de la grossesse ? répéta-t-elle.

— Oui. Tu en as eu aussi, n'est-ce pas ?

— Et comment ! C'est le lot de la plupart des mères.

— Pourquoi les femmes enceintes ont-elles des nausées ?

Elle le regarda de biais. De ses quatre fils, c'était David qui lui ressemblait le plus. Cela lui brisait le cœur de voir combien son visage s'était marqué en deux ans. Depuis quand ne l'avait-elle pas vu réellement heureux ?

— Je crois que personne ne le sait, répondit-elle en reprenant sa marche tranquille le long des méandres des allées de son jardin. Pourquoi est-ce que ça t'intéresse, subitement ?

— Je me demandais comment on faisait pour les soulager, expliqua-t-il en contemplant gravement une plate-bande nue.

Elle examina les bourgeons d'un rhododendron.

— Quand j'attendais ton frère aîné, j'ai été très mal jusqu'au cinquième mois, mais ça s'est calmé tout seul. En t'attendant, toi, j'ai découvert que ça allait beaucoup mieux si je prenais un milk-shake très dilué, tôt le matin.

— Un parfum particulier ?

— Oui, à la menthe.

Elle attendit un instant avant de demander négligemment :

— Qui connais-tu qui est enceinte ?

— Une cliente.

Il venait de la surprendre de nouveau. Ce n'était pas le genre de David de prendre sur lui les problèmes personnels de ses clients. Il menait ses enquêtes de façon très efficace mais depuis sa terrible expérience avec Teresa, il évitait toute implication personnelle auprès d'une femme.

Choisissant bien ses mots, sachant qu'il se fermerait si elle semblait trop curieuse, elle énonça :

— Tu t'inquiètes pour une cliente enceinte.

— Nous ne pouvons pas travailler si elle a sans cesse envie de vomir.

Ah ! Il se passait bien quelque chose ! Depuis sa plus tendre enfance, David avait un travers attendrissant. Parfaitement détendu quand il se montrait franc avec elle, il devenait maladroit dès qu'il cherchait à rester évasif — et il venait de marcher dans une plate-bande copieusement fumée ! Enchantée, elle lui montra sa chaussure tout en demandant négligemment :

— Une nouvelle cliente ?

— Elle est venue me trouver la semaine dernière, répondit-il en s'efforçant de nettoyer sa semelle sur l'herbe. Tu buvais ce shake tout au long de la matinée ?

— Oui, répondit-elle en se retenant de sourire.

Les mouvements de son fils se faisaient de plus en plus maladroits.

— Parle-moi d'elle, hasarda-t-elle.

— Il n'y a rien à dire.

Enfin, David s'intéressait à une femme ! Une excellente nouvelle… ou une très mauvaise, c'était selon. Cela dépendrait de la femme.

— Et qui est le père du bébé ?

— Le petit-fils d'un millionnaire, rien que ça.

Etait-ce de la jalousie dans sa voix ? S'il s'agissait de l'un des jumeaux, il suffirait de le taquiner cinq minutes pour tout savoir. Avec David, inutile d'essayer ; on ne le taquinait pas, et surtout pas au sujet d'une femme.

Entendant un gazouillis familier, elle leva les yeux.

— Oh, regarde ! Les martinets encouragent leurs petits à sortir du nid. Quand les jeunes martinets se mettent à voler, on sait que l'été n'est pas loin.

Du coin de l'œil, elle vit son fils lever la tête à son tour — mais à voir son expression troublée, il pensait à tout autre chose.

— Ta cliente va épouser ce fils de millionnaire ? demanda-t-elle.

— Aucune idée.

— Tu penses qu'elle devrait ?

— Elle le connaît à peine.

— Donc, tu penses qu'elle ne devrait pas.

— Je n'ai pas d'opinion, ni dans un sens ni dans l'autre. C'est juste une cliente.

Une abeille avait décidé de le prendre pour cible. Il agita la main, sauta de côté, se heurta à une branche basse, glissa et se retrouva allongé dans l'herbe. Pas d'opinion ? Bien sûr que si ! Souriante, elle alla lui tendre la main.

— Non, non, ça va ! protesta-t-il en levant la main comme un gendarme pour l'empêcher d'approcher.

Si une femme était capable de mettre David dans un état pareil, elle voulait absolument la rencontrer.

— Invite ta cliente à déjeuner avec nous demain. Je lui expliquerai comment terminer sa grossesse avec panache.

Il se retourna vers elle, l'air stupéfait.

— Tu veux que j'invite une cliente *ici* ?

— Je peux la retrouver dans un restaurant, si tu préfères.

— Merci, mais il n'y a pas de raison. C'est juste une cliente.

Elle fronça les sourcils avec une petite moue ennuyée.

— C'est vieux, tout ça. Si je me souviens bien, il y avait d'autres ingrédients importants dans ce milk-shake…

— Par exemple… ?

— Je vais réfléchir, je suis sûre que ça me reviendra.

Il la regardait avec une impatience palpable. Retenant un nouveau sourire, elle promit :

— Ce soir, après le dîner, je prendrai un moment pour te noter tout ça. Ça te convient ?

— Oui, dit-il, très soulagé. Merci beaucoup.

Elle ne se trompait pas, son fils craquait pour cette femme. Ah, David, j'espère seulement que ce n'est pas une nouvelle Teresa, pensa-t-elle. Pas une autre femme qui refuse de voir la vérité en face.

*
* *

Susan rangea sa brosse à dents et enfila sa chemise de nuit ; elle se dirigeait vers son lit quand le téléphone sonna. Contrariée, elle regarda le réveil à son chevet. 22 heures passées ! Elle laisserait le répondeur filtrer l'appel. Au bout de la quatrième sonnerie, son bref message retentit et la voix de David résonna dans la pièce.

— Ici David Chevallier. Je sais que vous êtes chez vous, décrochez, s'il vous plaît.

Pieds nus, elle se dirigea vers le téléphone et l'arracha à son support.

— Et comment savez-vous que je suis chez moi ?

— Je suis détective, ne l'oubliez pas.

— Désolée, Sherlock, mais comment avez-vous déduit cela ?

— Votre voiture est dans le garage et il y a de la lumière dans votre chambre.

Troublée, elle s'assit sur le rebord du lit.

— Où êtes-vous ?

— Devant chez vous.

— Que faites-vous devant chez moi ?

— J'ai quelque chose pour vous. Retrouvez-moi à la porte d'entrée dans deux minutes.

— Mais…

Une fois de plus, il raccrocha sans la laisser achever sa phrase. Que pouvait-il vouloir lui donner qui ne puisse attendre le lendemain ? Contrariée, elle alla décrocher sa robe de chambre. M. Hyde continuait à avoir le dessus ! Il était si agréable, la veille, pendant leur sortie à Seaview ! C'était si plaisant de le regarder travailler, de lui parler — de l'entendre rire. Et pourtant, à cause d'une question toute simple, le charmant Dr Jekyll s'était transformé en un M. Hyde, fermé, presque hostile. Pour une question qu'il venait lui-même de lui poser !

Il n'avait quasiment pas desserré les dents sur tout le trajet du retour et voilà qu'il se présentait chez elle, à 22 heures un dimanche soir, pour lui apporter quelque chose.

Elle sortit de la chambre en refermant soigneusement la porte derrière elle pour empêcher Chou de descendre. Si le chien découvrait David sur le seuil, il voudrait l'inviter à entrer et cela, il n'en était pas question. Irritée, elle descendit et atteignit la porte deux minutes précisément après qu'il lui ait raccroché au nez. Allumant la lumière extérieure, elle tourna la clé, tira le battant vers elle… et son irritation s'évapora instantanément en le voyant.

Il était trempé. Une pluie battante crépitait sur le gravier de l'allée, ruisselait sur ses cheveux et ses épaules. Vaincue, elle s'écarta.

— Entrez.

Muet, il lui tendit un gros sachet de papier.

— Qu'est-ce que c'est ? demanda-t-elle, abasourdie.

— Lisez les instructions, ordonna-t-il en lui posant fermement le sac entre les mains. Vous avez peut-être déjà certains ingrédients mais j'ai préféré tout prendre, pour être sûr. Bonne nuit.

Il tourna les talons. Abasourdie, elle regarda le sac, le regarda s'éloigner.

— Les instructions pour quoi ? Attendez !

Il était déjà remonté dans son pick-up. Médusée, elle referma la porte, la verrouilla et éteignit la lumière extérieure avant de se diriger vers la cuisine. Le sachet contenait du lait, un assortiment d'ingrédients divers, et une feuille de papier. Quand elle l'examina, elle comprit qu'il s'agissait d'une recette. En guise de titre, elle lut : « Pour soulager les nausées de la femme enceinte ».

Se laissant tomber sur la chaise la plus proche, elle laissa échapper un long, très long soupir. C'était incompréhensible ! Cet homme, qui disait préférer mourir de faim plutôt que d'acheter des provisions, avait dû écumer les supermarchés, un dimanche, pour trouver tous les ingrédients de sa liste — avant de les lui livrer sous une pluie battante. Pour qu'elle les ait sous la main dès le lendemain matin.

Il se refusait à lui dire comment il était devenu détective privé, mais il se donnait tout ce mal pour soulager son malaise. Il était contradictoire, imprévisible... et si gentil qu'il lui fendait le cœur.

8.

En revenant au bureau le lundi après-midi, David trouva une douzaine de messages électroniques en attente. Parcourant rapidement la liste des expéditeurs, il vit que deux d'entre eux venaient de Susan. Le premier était une copie de son planning de la semaine, le second avait été expédié quelques heures plus tard. Sans doute une mise à jour ? Quand il l'ouvrit, il trouva un petit mot :

« La recette a fonctionné ! J'ai bu le milk-shake tout au long de la matinée et… plus de nausées ! Rien que pour vous montrer à quel point je vous suis reconnaissante, je ne vous dirai pas que vous êtes un type extraordinaire. Je sais que ça vous met mal à l'aise.

Susan. »

Il relut ce bref message une bonne douzaine de fois ; en souriant de plus en plus largement. C'était ridicule de se sentir aussi content, il l'avait simplement aidée à guérir de son malaise ! Le bourdonnement de l'Interphone résonna :

— Oui, Harry ? demanda-t-il en enfonçant le bouton.

— J'ai complété la recherche sur internet sur les projets de contrôle biologique des ravageurs, monsieur. Je n'ai trouvé qu'une brève mention de Todd Tishman.

— Apportez-moi ça.

Un instant plus tard, Harry frappait son habituel coup bref à la porte, et venait au pas lui tendre une liasse assez épaisse.

— C'est la « brève mention » ? s'enquit David.

— Oui, monsieur. Son nom est cité en tant que membre d'une équipe étudiant une nouvelle méthode de contrôle des ravageurs à la Ardmore Chemical Company, répondit Harry en montrant la première ligne de son document. J'ai pensé que vous voudriez lire le rapport rendu par l'équipe.

— Bien vu, murmura David. Merci.

Harry quitta la pièce sur un volte-face réglementaire.

L'article, publié dans une revue scientifique cinq mois auparavant, avait pour titre : « Pesticides et Prédateurs — la solution intégrée ». Il était signé par six chercheurs de la compagnie Ardmore, y compris Todd Tishman. Se carrant dans son fauteuil, il se mit à lire. Le texte résumait la carrière d'un insecte venu d'un autre habitat qui dévastait les cultures depuis deux ans. A l'origine, un lézard nouvellement introduit avait réduit sa population mais il avait fallu l'adjonction d'un pesticide produit par la Ardmore Chemical Company pour l'éliminer tout à fait.

David fronça les sourcils. Au vu de ce que lui avait dit le professeur Bateman, il trouvait curieux que l'équipe dont Todd faisait partie ait eu recours à un insecticide. Ce matin même, il avait parlé de Todd à trois personnes différentes : deux de ses professeurs à l'université de Washington, et un administrateur de son lycée militaire. Tous trois avaient évoqué l'obstination du garçon, répétant qu'il ne démordait jamais de ses convictions.

Ensuite, il s'était rendu à la zone industrielle. Ayant choisi un prétexte vraisemblable pour demander à rencontrer Todd, il s'était présenté au laboratoire... pour trouver les locaux en chantier. Dans le vacarme des perceuses et des marteaux, l'employée de la réception lui avait appris que M. Tishman était en voyage depuis cinq semaines, parti en expédition en Amérique du Sud avec les autres chercheurs de l'équipe. Elle ne pouvait (ou ne voulait) pas lui en dire davantage.

Il avait donc appelé Jared pour lui demander de lui obtenir la liste des passagers de l'avion ayant emmené l'équipe Ardmore en Amérique Latine, et la date de leur retour. Le nom de Tishman ne figurait pas sur la liste.

Todd n'était pas au laboratoire, et il ne faisait pas non plus partie de l'expédition. Où était-il passé ?

Avant de lire ses e-mails pour voir s'il trouverait des éléments de réponse (il avait envoyé plusieurs requêtes tôt dans la matinée), il imprima les deux messages de Susan. Le planning lui permettrait de savoir où la joindre en cas de besoin ; il se dit qu'il avait également besoin de l'autre message pour penser à remercier sa mère pour son aide.

— Barry, attends ! s'écria Susan.

Son ami revint sur ses pas.

— Tu as un problème ?

— Non, pas de problème, juste un service à te demander. Tu veux bien échanger nos papiers ? Je prends le tien ce soir, tu te charges du mien demain.

— Attends, dit-il en croisant les bras d'un air austère, je veux voir si je te comprends bien. Tu veux passer la nuit à grelotter dans un vieux phare abandonné pour photographier des chauves-souris, alors que tu pourrais te prélasser au soleil pour prendre d'adorables petits oiseaux-mouches ?

— Au soleil, quel soleil ? répliqua-t-elle. La météo annonce un ciel couvert avec quelques averses.

— Ah, alors tu veux que ce soit moi qui me retrouve sous la pluie à prendre ces fichus oiseaux ?

— Il y a une seconde, ils étaient adorables.

Barry pencha la tête sur le côté, troublé.

— Les oiseaux-mouches sont une de tes spécialités. Greg sera furieux si j'échange avec toi.

— Ecoute, si Greg dit quoi que ce soit, j'assume toute la responsabilité. Je n'ai plus fait de photos nocturnes depuis des mois, je ne saurai bientôt plus m'y prendre. Pour moi, les chauves-souris, c'est un vrai défi !

En fait, si elle tenait tant à se charger de ce reportage, c'était parce que le fameux phare se trouvait sur Falls Island, là où habitait Todd. Une agglomération fermée, gardiennée, exclusivement peuplée de gens très riches, où il fallait montrer patte blanche pour entrer… et elle tenait un prétexte pour y pénétrer ! Sans trop savoir ce qu'elle espérait trouver sur place, l'occasion semblait trop belle.

— Allez, insista-t-elle en poussant son collègue du coude. Je parie que tu feras un travail spectaculaire sur les oiseaux-mouches.

— Tu crois que la flatterie va me tourner la tête ?

— Oui.

— Et si tes photos des chauves-souris sont fantastiques, s'il décide que c'est toi qui feras toutes les nocturnes à l'avenir ?

Elle éclata de rire.

— Dans tes rêves ! Personne ne sait comme toi saisir le côté inquiétant des bestioles de la nuit. Un jour, il faudra que tu me révèles ton secret.

— C'est mon sang roumain.

Recourbant ses doigts en griffes, il fondit sur elle. Elle se débattait en pouffant quand Ellie déboucha dans le box.

— Tiens, tiens, fit-elle en levant les sourcils.

— Je bois son sang, répondit Barry d'une voix caverneuse. Je peux boire le tien ?

— Le fisc s'en est déjà chargé. Suz, tu as une minute ?

— Bien sûr. Barry, merci pour l'échange. Je t'embrasserai plus tard.

— Ça fait quatre cents seize baisers de retard, commenta celui-ci en s'éloignant.

— Il te tourne autour, dit Ellie en le suivant des yeux. Je crois qu'il craque pour toi.

— Barry ? Sûrement pas, s'exclama Susan, amusée.

— Oh, je sais bien que tu ne craquerais jamais pour lui. Barry n'arrive pas à la cheville de Paul. Paul, c'était le type parfait qu'une femme ne trouve qu'une fois dans sa vie. Tu n'en croiseras jamais un autre comme lui.

— Qu'est-ce qui t'amène ? demanda Susan avec un peu d'impatience.

— Ah, oui ! Skip m'emmène à un concert ce soir et je n'ai rien à me mettre. Viens faire les magasins avec moi et aide-moi à choisir quelque chose.

En réalité, Ellie avait deux énormes penderies bourrées de vêtements, mais Susan comprenait ce qu'elle voulait dire. Pour une soirée vraiment spéciale avec un garçon spécial, rien ne vaut une robe neuve.

— Je serais contente de venir mais je travaille ce soir.

— Ne me dis pas que tu as pris le papier de Barry ? Quelle horreur !

— Ellie, je t'ai vue photographier des requins déchaînés qui mettaient leur proie en pièces, qu'est-ce qui peut bien te déranger chez les chauves-souris ?

— Elles sont moches.

— Ce sont de petites créatures timides avec de grandes oreilles, des yeux tendres et de gentilles petites griffes au bout de leurs ailes.

Ellie faisait une grimace merveilleusement dégoûtée. Susan saisit son appareil photo et la captura sur la pellicule.

— Je vais l'offrir à Skip !

— Si tu développes cette photo, répartit Ellie en riant, je te fais la peau.

*
* *

David était garé sur Falls Island, à cent mètres de l'immeuble où Todd avait son appartement, quand il vit la voiture de Susan tourner l'angle de la rue. La surprise le paralysa un instant, puis il se coucha sur le siège de la camionnette de livraison qui lui servait de camouflage. Elle passa sans le voir.

Se redressant, il la regarda s'éloigner dans le rétroviseur. Elle roulait lentement ; quand elle arriva au pied de la tour où habitait Todd, sa voiture s'immobilisa, le moteur au ralenti, pendant une minute entière. Brusquement, elle repartit. Il se lança à sa poursuite, bien décidé à découvrir ce qu'elle fichait ici.

En atteignant le sommet du phare, à bout de souffle et écrasée sous le poids de son équipement, elle fut contente d'avoir mis un blouson : il n'y avait plus de fenêtres.

Le phare de Falls Island ne fonctionnait plus depuis un demi-siècle. La grande lentille qui éloignait autrefois les navires des rochers avait dû être emportée dans un musée ; aujourd'hui, à part une éventuelle valeur historique, cet espace vide n'était plus bon que pour les chauves-souris.

Elle plaça soigneusement son matériel, étendit une épaisse couverture sur le sol froid et sale et s'assit en tailleur, Chou blotti sur ses genoux. Maintenant, elle n'avait plus qu'à attendre la nuit et le réveil des chauves-souris.

Qu'espérait-elle apprendre en passant devant chez Todd ? Du haut de sa tour d'acier et de verre, il devait avoir une vue imprenable sur le Puget Sound — et pourtant, elle préférait sa propre petite maison avec ses murs de bois et ses rhododendrons. Pourquoi avait-il choisi cet endroit ? Il y avait des habitats plus chaleureux sur l'île ! A moins qu'il ne se fiche de son environnement ? Les hommes attachent souvent moins d'importance que les femmes à leur lieu de vie. Leurs voitures en revanche…

Elle secoua la tête. Au fond, même si David découvrait toutes sortes de choses au sujet de Todd, cela l'aiderait-il à prendre une décision ? Pouvait-on évaluer le potentiel d'un homme par personne interposée ?

— Qu'est-ce que vous faites ici ?

Elle se retourna d'un bond en réprimant un petit cri. David venait d'émerger de l'escalier et la toisait, les mains sur les hanches. Chou courut vers lui en aboyant. Quel chien de garde, pensa-t-elle. C'est maintenant qu'il me prévient !

— Je travaille, répondit-elle, abasourdie.

Il se pencha automatiquement pour caresser Chou en examinant la couverture, le trépied, les réflecteurs argentés.

— Ce site n'est pas sur votre planning.

— Un changement de dernière minute. Je n'ai pas eu l'occasion de mettre mon planning à jour. Et vous, qu'est-ce que vous faites ici ?

— Je travaille, repartit-il.

Pour la première fois, elle remarqua sa tenue. De tous les uniformes dans lesquels elle aurait pu l'imaginer…

— Vous livrez des pizzas ? demanda-t-elle en pouffant. Je ne savais pas que les enquêtes payaient si mal. Ça vous dépannerait si j'en commandais une grande ?

— Très drôle, repartit-il sans sourire.

Elle tenta de contrôler son hilarité — sans grand résultat.

— Je vais me faire un réel plaisir de vous facturer cette soirée, commenta-t-il. Mes honoraires triplent quand on se moque de moi.

Cette fois pourtant, elle vit qu'il souriait.

— Vous voulez de la soupe ? proposa-t-elle. J'ai apporté un Thermos.

— Quelque chose de chaud, ce serait bien, admit-il.

Sa chemisette à manches courtes avec le logo Pizzas Papa & Mamma ne le protégeait guère dans cette tour ouverte à tous les vents. Elle versa de la soupe dans un quart et le lui tendit. Il vint s'asseoir sur le bord de la couverture, goûta le breuvage fumant et dit :

— Bœuf et légumes. Vous l'avez faite vous-même.

— Je n'aime pas les soupes en boîte ou en berlingot.

— Moi non plus, dit-il avec conviction. Vous en avez pour combien de temps ici ?

— Quelques heures sans doute. Les chauves-souris devraient bientôt sortir.

— Des chauves-souris ? répéta-t-il, incrédule. Vous allez photographier ces bestioles qui tournent dans la nuit en montrant les crocs ?

— Elles ne montrent pas les crocs, elles lancent des ultrasons pour trouver leur chemin et leur nourriture. Les chauves-souris sont de merveilleux pesticides naturels, vous le saviez ? Prises toutes ensembles, elle peuvent manger deux cents tonnes d'insectes en une nuit. Encore de la soupe ?

— Pas après l'image appétissante que vous venez de me mettre en tête, merci.

Eclatant de rire, elle rangea son Thermos.

— Quel genre de photo recherchez-vous ? demanda-t-il.

— Je ne sais pas encore. Si je les prends quand elles passeront sous l'arche, ce sera juste une jolie image. J'aimerais décrocher quelque chose de spécial..

— Et si vous ne le décrochez pas ?

— Alors je regretterai de ne pas m'être contentée des oiseaux-mouches. Et vous, que faites-vous sur Falls Island ?

— Je jetais un coup d'œil à l'immeuble de Todd.

— Vous m'avez vue passer, devina-t-elle.

— J'aimerais mieux, dit-il avec douceur, que vous me laissiez me charger du boulot que vous m'avez confié.

— Comme j'étais ici de toute façon pour les photos, j'ai voulu voir où il habitait.

Malgré elle, elle se mettait sur la défensive. Il insista :

— Et s'il vous avait vu, vous aviez une explication pour votre présence devant chez lui ?

— Bon, d'accord, je ne recommencerai plus. Alors, vous avez appris autre chose sur lui ?

— Par quoi voulez-vous commencer, l'histoire ancienne ou l'actualité ?

— Commençons avec son passé et remontons jusqu'au présent.

— Il est fils unique. A l'âge de cinq ans, on l'a mis en pension dans une école militaire et il y est resté jusqu'à la fin de ses études secondaires. Il a toujours eu de bonnes notes mais l'administrateur reconnaît qu'il n'a jamais été heureux chez eux. Il n'aimait pas les sports, n'était pas à l'aise avec les autres garçons. Il ne s'est fait qu'un ami, Warren Sterne, un autre paria.

— S'il était si malheureux là-bas, pourquoi ses parents l'ont-ils obligé à rester ?

— Sa mère l'a retiré de l'établissement après qu'il ait été battu par deux autres garçons, mais son grand-père l'y a renvoyé une semaine plus tard. D'après ce que l'administrateur m'a expliqué, c'était le grand-père qui finançait ses études. A ses yeux, c'était la meilleure école et il refusait de placer Todd ailleurs.

— Et qu'importe si c'était l'enfer pour son petit-fils, dit Susan en secouant la tête. Todd m'a dit qu'il aimait beaucoup mieux la fac. Il a dû opter exprès pour une université publique, où il ne côtoierait que le commun des mortels. Warren Sterne y est allé avec lui ?

— Non, il est resté dans le privé, puis il a pris un poste dans l'entreprise de son père, quelque chose en rapport avec l'informatique. Il y a quelques années, il a lancé sa propre *start-up,* sur la côte. Il est toujours le meilleur ami de Todd — le seul ami que j'aie pu dénicher, d'ailleurs.

— Je me demande pourquoi Todd ne s'est pas fait de nouveaux amis.

— Une fois qu'un enfant se voit comme un solitaire, un exclus, il se conforme à cette attitude. Il a beau changer d'environnement, il projette toujours la même image de lui.

— Oui, soupira-t-elle. On ne s'autorise guère à changer.

— J'ai pu vérifier que Todd n'était pas marié, qu'il n'avait pas d'enfants — difficile de juger s'il ferait ou non un bon père. Il n'a pas de problèmes d'argent et il ne boit pas.

— Je ne le pensais pas, dit-elle. En fait, je vous fais probablement perdre votre temps. Juste avant votre arrivée, je réfléchissais justement aux qualités qui font un bon père. Je ne sais même pas lesquelles chercher, et encore moins comment les découvrir chez un homme.

— Est-ce que vous me demandez d'arrêter mon enquête ?

— Non. Je voulais juste… Paul travaillait dur, il était fiable et il voulait des enfants. Que faut-il de plus à votre avis ?

— Si je me base sur l'exemple de mon père, je dirais qu'il faut de l'intelligence, de l'intégrité, de la loyauté et une vraie disponibilité envers sa femme et ses enfants. Etre prêt à admettre ses échecs devant eux, tout autant que ses succès.

— Pour qu'ils puissent l'aimer autant qu'ils le respectent. Votre père doit être fantastique. Et votre mère ?

— Je ne me sens jamais tout à fait adulte devant elle. Je veux dire : elle est adorable, mais j'ai toujours la sensation qu'elle vient de me surprendre à piquer des confitures.

Susan se mit à rire.

— Ma grand-mère me faisait le même effet. Elle voyait beaucoup trop clair en moi.

— Et vous, votre père ? Qu'est-ce que vous admiriez le plus chez lui ?

Elle tourna la tête vers les arches béantes qui s'ouvraient sur le ciel assombri.

— Je n'ai jamais connu mon père.

— Je suis désolé, je…

— Il ne faut pas. Et l'actualité, alors ? Vous avez aussi trouvé des éléments plus récents ?

Il ne répondit pas tout de suite ; elle sentit qu'il l'étudiait.

— Todd a deux livres en retard à la bibliothèque, dit-il enfin.

— Oh, c'est un gros défaut ! dit-elle en souriant.

— Tous deux traitent de la photo en milieu naturel. Todd les a empruntés juste après votre rencontre. D'après la bibliothécaire de Falls Island, il emprunte très régulièrement des livres mais ce sujet ne l'avait jamais intéressé auparavant. Vous lui avez parlé de votre profession ?

Elle fit un effort de mémoire.

— J'ai dû déplacer une partie de mon matériel pour pouvoir étendre mon sac de couchage à l'arrière, cette nuit-là. J'ai peut-être dit quelque chose. De toute façon, il n'a pas pu prendre ces livres à cause de moi.

— Je pense que si, dit-il en lui tendant une enveloppe, très blanche dans la pénombre. J'ai trouvé ceci sur son bureau.

— Comment avez-vous eu accès à son bureau ?

— Si je vous révèle tous mes secrets, vous déciderez peut-être de laisser tomber la photo. Je me méfie de la concurrence.

— Très drôle.

— Regardez-la bien.

L'enveloppe n'était pas scellée. Elle glissa la main à l'intérieur et ne trouva rien. Plissant les yeux, elle essaya de déchiffrer les mots inscrits sur l'enveloppe.

— Qu'est-ce qui est écrit là ?

Le faisceau d'une minuscule lampe torche vint se poser sur le carré de papier.

— Susan Carter, lut-elle à mi-voix. Il connaissait mon nom de famille ? Je ne lui ai pas dit…

— Votre nom est sur votre sacoche, avec le logo de votre magazine, murmura-t-il en éteignant sa lampe. Il les a sans doute vus cette nuit-là.

Todd avait-il réellement emprunté ces livres en pensant à elle ? Mais pourquoi ? Ils n'avaient passé qu'une nuit ensemble, il n'avait pas attendu son réveil le lendemain ou fait d'effort pour la contacter depuis. Que signifiait son nom sur cette enveloppe ?

— Todd n'est plus à son laboratoire depuis plusieurs semaines, reprit David, mais je n'ai pas pu découvrir où il se trouve. J'ai appris qu'un déménageur viendra vider son appartement demain. Il se trouvait dans l'appartement cet après-midi pour organiser le travail de son équipe, au moment où je livrais une pizza chez les voisins.

Elle ne put réprimer un sourire en jetant un nouveau coup d'œil à son uniforme.

— Bien joué, murmura-t-elle.

— Je connais peu de gens capables de résister au parfum d'une bonne pizza.

— C'est comme ça que vous êtes entré chez lui ?

— Les voisins n'étaient pas là. J'ai pesté et le déménageur a très bien compris mon point de vue. Il s'est souvent retrouvé dans la même situation.

— Et comme il vous écoutait avec tant de sympathie, vous lui avez proposé la pizza.

— Comme je le disais, une pizza toute chaude, c'est irrésistible. Il a tenu à me montrer la façon dont ses propres clients se moquaient de lui. Rien n'avait été emballé, le frigo était plein de nourriture gâtée et il y avait une grosse pile de courrier à la porte. D'après les tampons de la poste, je dirais que Todd n'est pas rentré chez lui depuis un mois au moins.

— Où est-il, alors ?

— C'est ce que je compte découvrir. Ses affaires vont être emmenées chez ses grands-parents, de l'autre côté de l'île.

— Voilà l'explication, alors. Il s'installe chez eux.

— Cela n'explique pas pourquoi il ne s'est plus montré au labo, ou pourquoi il n'est pas parti avec le reste de son équipe pour l'Amérique du Sud il y a cinq semaines.

Elle réfléchit quelques instants en silence.

— Il travaille peut-être seul sur un aspect du projet, hasarda-t-elle enfin. Le professeur Bateman a bien dit qu'il n'aimait pas faire équipe.

— Il a aussi dit qu'il était catégoriquement opposé à l'utilisation des pesticides, et sa compagnie vient pourtant de développer un nouveau produit très puissant.

— A sa place, je crois que je l'aurais très mal pris. S'il s'est fâché avec le reste de l'équipe, cela expliquerait tout.

Un bruissement parcourut la coupole du phare.

— Je dois me mettre au travail, murmura-t-elle.

— Où sont les chauves-souris ? Je ne les vois pas.

— Elles nichent là-haut, dans le faux plafond de bois.

— Vous avez un équipement spécial pour les voir ?

— Si je vous révèle tous mes secrets, vous déciderez peut-être de laisser tomber les enquêtes. Je me méfie de la concurrence.

— Très drôle.

— Je n'ai pas besoin d'équipement spécial, dit-elle en se redressant sur les genoux et en collant son œil à l'appareil fixé à son trépied. La lumière est faible mais il y en a. Avec la bonne pellicule, le bon temps de pose, un flash à faible puissance et beaucoup de chance, je devrais obtenir quelque chose.

Abritant son œil de sa main, elle affina le point sur le plafond de la tour. Satisfaite de son cadrage, elle s'écarta un peu en proposant :

— Jetez un coup d'œil.

Il s'accroupit près d'elle ; elle ressentit un choc léger en le sentant si proche — quelque chose l'empêcha pourtant de s'écarter.

— C'est incroyable comme elles s'imbriquent les unes dans les autres. Je crois qu'elles sont prêtes à s'envoler, vous feriez bien de vous remettre en position.

Quand il recula pour lui laisser la place, leurs épaules se heurtèrent légèrement. Elle respira abruptement, sentit son souffle tiède sur sa joue quand il demanda :

— Tout va bien ?

— Bien, répondit-elle très bas.

Son visage était dans l'ombre mais elle sentait sa présence, sentait l'odeur saine et masculine de sa peau. Les battements de son propre cœur l'assourdissaient.

Près d'eux, Chou aboya ; vaguement, elle se demanda s'il protestait parce qu'on ne s'occupait plus de lui. Elle ne pouvait pas penser à lui maintenant, seulement à David, si proche qu'elle sentait sa chaleur sur sa peau. Oh, se laisser aller, franchir la distance infime qui les séparait encore, se pencher vers lui, l'embrasser !

— Qu'est-ce qui se passe ici ! jeta une voix dans l'ombre.

Sans avertissement, un rayon puissant l'éblouit. Avec un cri bref, elle retomba assise sur ses talons, protégeant son visage de ses mains tandis que ses sujets affolés s'envolaient dans un grand bruissement d'ailes.

— Eteignez votre torche, dit la voix de David. Vous faites fuir les chauves-souris.

— Vous êtes qui ? demanda l'homme en tournant le faisceau de sa lampe vers lui.

— Il est avec moi ! cria-t-elle, furieuse. Et si vous n'éteignez pas ça tout de suite, j'appelle le service de gardiennage de l'île ! Nous prenons des photos ici !

— Je suis le service de gardiennage, dit-il en éteignant enfin la lumière.

Elle ne voyait toujours rien, seulement les points de lumière brûlés sur sa rétine.

— Alors vous devriez savoir que ce phare est hors limites ce soir, tempêta-t-elle. Nom de Dieu, je ne vois plus rien !

— On m'a dit une photographe, protesta le vigile d'un ton boudeur. Personne n'a parlé d'un livreur de pizzas.

— Vous laisseriez votre femme passer la nuit toute seule dans un phare isolé ? A la merci de n'importe quel dingue ?

Sa fureur avait probablement effrayé les chauves-souris davantage que l'irruption du vigile. Elle s'en voulait d'ailleurs plus qu'à lui. S'il n'était pas passé à cet instant précis, elle aurait embrassé David. Le pauvre homme venait de lui éviter une belle humiliation !

— C'est ma faute, dit David.

Toujours aveuglée, elle le sentit se lever.

— Elle ne m'attendait pas ce soir ou elle aurait prévenu les responsables que nous serions deux, expliqua-t-il calmement. Je voulais juste m'assurer qu'elle était en sécurité.

— Oui, je comprends, bien sûr, dit l'homme. Mais moi, mon boulot, c'est de ne rien laisser passer.

— Parfait. Ça me rassure de savoir que vous êtes dans les parages.

— Vous pouvez compter sur moi, M.... ?

— Je suis David Carter. Et vous ?

— Fred Grady.

— Content de vous rencontrer, Fred. Ma femme est Susan Carter, vous avez peut-être vu ses photos dans le magazine *True Nature.*

— Je ne lis pas les magazines...

— Vous ne savez pas ce que vous ratez. Nous ferions bien de la laisser se concentrer. Ma belle, je ramène le chien à la maison ou tu veux le garder avec toi ?

Elle mit un instant à comprendre qu'il s'adressait à elle.

— Euh… je préfère le garder avec moi.

Les pas de David revinrent vers elle, il posa le petit corps chaud de Chou dans ses bras.

— Ne reste pas trop tard, dit-il.

Il parlait tout à fait comme un mari inquiet. Chou fit un mouvement pour le suivre, elle le serra contre elle pour le retenir. Les pas des deux hommes résonnaient sur les marches de pierre. Elle entendit le vigile demander, un peu penaud :

— Vous pensez qu'elle pourra faire ses photos ? Je ne voulais pas faire peur aux chauves-souris…

— Ne vous en faites pas, elle trouvera une solution, répondit la voix de David, un peu déformée par l'écho. Elle trouve toujours une solution.

— Elle était vraiment en colère.

— Les photographes sont des perfectionnistes. Surtout les très bons photographes. Ils passent beaucoup de temps à préparer leur prise de vue. Vous comprenez sûrement ça, vous êtes perfectionniste, vous aussi.

— Oui, c'est vrai.

— Vous n'avez pas un petit creux, Fred ? J'ai de la pizza dans la camionnette mais elle ne doit plus être très chaude.

— J'aime bien la pizza froide.

Elle ne les entendait plus. Un long soupir lui échappa. Elle appréciait que David se montre si gentil avec le vigile car de son côté, elle s'était très mal comportée. Elle qui ne perdait jamais son calme !

— Tu as essayé de me prévenir que quelqu'un montait, murmura-t-elle en serrant Chou contre elle. En fait, tu es un très bon chien de garde.

La petite bête lâcha un aboiement bref, comme pour dire qu'il acceptait ses excuses. Elle commençait à récupérer sa vision nocturne. Sans doute ne décrocherait-elle aucune photo valable cette nuit, mais elle ne bougerait pas encore d'ici. Il lui fallait du temps pour se reprendre !

Elle avait failli se ridiculiser ce soir. A l'avenir, elle se montrerait plus prudente en présence de David. Beaucoup plus prudente.

Garé en face de la propriété de Robert et Nancy Ardmore, David attendait l'arrivée du camion apportant les meubles de Todd. Derrière les haies épaisses et le mur d'enceinte, il ne distinguait guère que les toits de la demeure, mais sa visite au cadastre lui avait appris que la propriété était énorme — et Fred le vigile que Robert Ardmore avait ce qui se faisait de mieux en matière de systèmes d'alarme.

Ce n'était pourtant pas à sa conversation avec Fred qu'il pensait en repassant dans son esprit les événements de la nuit. Quand Susan l'avait invité à jeter un coup d'œil dans son objectif, cela l'avait troublé qu'elle ne s'écarte pas. Et ce sursaut, au moment où leurs épaules s'étaient effleurées… Elle était restée à sa place, si proche qu'il sentait le parfum léger de ses cheveux. C'était une invitation, il ne pouvait pas en douter. Il avait dû faire un effort énorme pour ne pas la prendre dans ses bras. Pour la millième fois, il se rappela qu'elle était sa cliente, qu'elle portait encore le deuil de son mari, qu'elle devait assumer une grossesse imprévue. Profiter de sa situation, ce serait contre tous ses principes. Il ne la toucherait pas.

Que c'était dur pourtant ! Une fois de retour chez lui, il avait eu un mal fou à s'endormir. Il allait devoir découvrir où se cachait Todd et clore cette affaire au plus vite.

Un gros moteur fit vibrer sa voiture, le camion des déménageurs arrivait. S'immobilisant devant le portail, le chauffeur se pencha hors de sa cabine, pressa le bouton de l'Interphone — après un échange qu'il n'entendit pas, le lourd vantail s'écarta lentement et le camion entra au pas. David se demandait s'il devrait gravir la colline derrière lui pour tenter d'en voir plus à travers ses jumelles quand la BMW de Todd sortit en trombe.

Il n'avait pu voir le visage du chauffeur — était-ce Todd en personne ? Dans une enquête, on a parfois ces coups de chance… Il suivit la BMW.

La filature n'était pas son passe-temps préféré, surtout sur les petites routes campagnardes où l'on n'a aucun autre véhicule pour se cacher. Par chance, le chauffeur devant lui ne semblait pas remarquer la camionnette bleu sombre qu'il conduisait aujourd'hui, avec le logo d'une compagnie téléphonique. Cette camionnette et son uniforme lui avaient permis de franchir le poste de contrôle ce matin, tout comme sa panoplie de livreur de pizza la veille au soir. Maintenant en revanche, ils risquaient de le desservir car l'on se souvient plus facilement d'un véhicule professionnel que d'une voiture banalisée.

La BMW suivit les méandres de la petite route jusqu'à l'artère principale de l'île. David franchit le poste de contrôle derrière elle et se dirigea à son tour vers la zone industrielle voisine de Ardmore Hills. Il commençait à se demander si Todd se rendait tout simplement à son travail quand la voiture vira brusquement sur une route secondaire. La laissant prendre un peu d'avance, il l'imita. De loin, il la vit filer entre les arbres, avant de ralentir pour s'engager dans l'allée menant à une petite clinique privée. Quand il atteignit le parking à son tour, elle était déjà garée. Il se rangea dans un espace libre, prit son appareil photo et le braqua sur le véhicule.

A travers le téléobjectif, il vit une femme en émerger. Surpris, il se concentra et prit plusieurs photos. La femme était petite, assez âgée, avec des cheveux blancs très bien coiffés et un maquillage raffiné. Elle portait un long manteau élégant et marchait rapidement vers l'entrée.

Rangeant l'appareil, il coupa le contact, saisit au vol une planchette à laquelle était fixée plusieurs formulaires et se hâta vers la porte principale, atteignant les ascenseurs juste après sa cible. Lorsque la cabine arriva, il s'effaça pour la laisser passer, la vit presser le bouton du deuxième et pressa celui du troisième avant de reculer pour se placer discrètement derrière elle.

La femme semblait préoccupée. A aucun moment elle ne regarda son visage ; elle ne semblait même pas remarquer sa présence. Quand elle descendit, il la laissa prendre un peu d'avance avant de la suivre.

Il émergeait à peine de la cabine quand deux silhouettes gigantesques lui barrèrent le passage. Deux aides-soignants d'après leurs uniformes — mais ils se comportaient plutôt comme des videurs des boîtes de nuit.

— L'accès est réservé ici, gronda l'un d'eux en posant sur sa poitrine une main qui ressemblait à une enclume.

Il ne chercha pas à masquer sa surprise. Baissant la tête, il fit mine d'étudier ses papiers — la visière de sa casquette lui permit de voir la direction que prenait la vieille dame.

— Désolé, bredouilla-t-il une fois certain de son objectif.

Relevant les yeux sur les armoires à glace devant lui, il esquissa un faible sourire.

— Je me suis trompé d'étage...

Il recula dans la cabine. Les deux visages monolithiques devant lui n'avaient pas bougé d'un muscle. La cabine monta jusqu'au troisième et cette fois, personne ne l'arrêta. Cet étage semblait tout à fait normal, avec le bureau des infirmières et la salle d'attente au centre, et les quelques patients qui se promenaient dans les couloirs entre les silhouettes en blouse blanche. Personne ne se préoccupa de lui.

Il s'engagea dans le couloir principal, trouva un escalier, descendit un étage et testa discrètement la porte du deuxième. Elle était verrouillée. Dévalant les marches jusqu'au rez-de-chaussée, il sortit et chercha des yeux la fenêtre de la chambre du deuxième, tout au bout à droite, dans laquelle la vieille dame venait d'entrer. Le rideau était ouvert. Il fallait absolument jeter un coup d'œil à l'intérieur avant que quelqu'un ne s'avise de le tirer.

9.

Les deux mains prises par son plateau de citronnade, Susan poussa de l'épaule la porte moustiquaire et émergea dans le jardin, aveuglée par le soleil d'août. Depuis plusieurs heures, Paul creusait des tranchées pour le système d'arrosage. Il devait avoir très soif.

Chaussée de ses sandales sans bride, elle s'avança avec précaution entre les amas de terre. Tiens, elle ne voyait plus Paul. Déposant son plateau sur la table du patio, elle se retourna en s'abritant les yeux de la main. Peut-être était-il à genoux au fond de la tranchée, en train d'arracher un rocher récalcitrant ? S'approchant du bord, elle se pencha sur le tunnel sombre, les yeux plissés dans la violente lumière.

— Paul ?

Sans avertissement, on la saisit à la taille.

— Je t'ai eue !

Elle poussa un cri de frayeur, se retourna d'un bond. Paul souriait largement, le visage maculé de boue.

— Tu m'as fait peur ! Tu as de la chance que je ne sois pas cardiaque !

— C'est moi qui ai failli faire une attaque en te voyant te pencher dans ce short, se défendit-il en l'attirant contre lui. Si on prenait une douche ensemble ?

Elle se tortilla pour s'écarter de sa poitrine boueuse.

— Je n'ai pas besoin de prendre une douche. J'en sors à l'instant.

— On peut arranger ça.

Avant qu'elle ne puisse réagir, il la souleva et se laissa glisser le long de la paroi de son tunnel. Un instant plus tard, ils roulaient ensemble dans le fossé boueux et elle riait si fort qu'elle avait mal aux côtes.

— Susan, tu es là ?

Elle se réveilla en sursaut, désorientée, peinant à émerger de ce rêve trop réel.

— Oh, zut, je pensais que tu serais rentrée, grogna la voix d'Ellie.

Se redressant à demi, elle comprit qu'elle s'était endormie tout habillée, en travers de son lit. Chou était roulé en boule près d'elle ; la voix d'Ellie s'élevait du répondeur.

— J'ai une nouvelle fantastique et je voulais que tu sois la première à l'apprendre. Alors s'il te plaît, dès que tu rentreras, passe-moi un coup de...

Elle saisit le combiné.

— Je suis là, Ellie, dit-elle en ravalant un bâillement.

— Tu as une drôle de voix. Tout va bien ?

— Oui, c'est juste toutes ces nuits passées à essayer de décrocher une photo correcte de chauves-souris.

— Les bestioles te mènent la vie dure ?

— Je crois bien que celles d'hier soir dans la vieille grange seront les bonnes. Mais bon, la chambre noire était débordée et j'étais trop fatiguée pour traîner là-bas à attendre ma planche de contact. Je suis rentrée à 3 heures pour dormir un peu. Alors, tes nouvelles ?

— Skip va s'installer chez moi !

Aïe aïe.

— Oh, je sais bien qu'il faudra faire quelques ajustements, s'écria Ellie, mais il en a marre d'être chez ses parents. Ils le traitent comme un bébé. On ne se connaît pas depuis très longtemps mais on est entrés tout droit dans l'amour.

Ellie entrait tout droit dans quelque chose, en tout cas !

— Je sais que ce n'est pas logique ou raisonné mais je ne raisonne jamais sur ce plan-là. Je suis une de ces femmes qui suivent leur cœur.

De l'avis de Susan, elle suivait plutôt ses fantasmes.

— Suz', tu es là ?

— Oui, excuse-moi, je suis encore un peu dans le brouillard.

— Ça m'ennuie de t'avoir réveillée. Je suis tellement contente, il fallait que j'en parle à quelqu'un.

— Je comprends ça. A quand le grand jour ?

— Ce week-end. Il annonce ça à ses parents ce soir.

— Tu me diras si je peux faire quelque chose ?

— Tu l'as déjà fait, ma grande. Tu ne m'as pas dit que j'étais folle, tu n'as pas cherché à me faire la leçon. Tu es la meilleure amie de tous les temps.

Elles se dirent au revoir et Susan raccrocha tristement. Une vraie amie trouverait le moyen de la mettre en garde. Une fois de plus, Ellie retombait dans le même cercle vicieux. Cela ne pouvait que mal tourner et elle ne pouvait rien faire.

Elle passa dans la salle de bains en traînant les pieds. Tout en faisant mousser son shampooing sous le jet tiède, elle réfléchit à son rêve interrompu. Pourquoi ces rêves récurrents ne concernaient-ils jamais les grands moments de sa vie avec Paul, ceux dont elle se souvenait à l'état de veille ? Leur première rencontre par exemple : elle était coincée dans la neige avec un pneu crevé et il s'était arrêté pour le lui changer. Ou la fois, plus tard, quand ils étaient déjà mariés, où il l'avait surprise en faisant le ménage et en préparant le repas le jour de son anniversaire. Elle n'avait plus pensé depuis longtemps à ce jour où elle était sortie lui apporter de la citronnade et ils avaient fini dans la boue au fond de la tranchée. C'était tout lui, ça. Toujours si vivant, si farceur.

En fait, il aurait dû faire plus attention : elle se souvenait maintenant que si cela lui faisait si mal de rire, c'était parce que dans son exubérance, il lui avait fêlé une côte.

Elle coupa l'eau, sortit de la douche et entreprit de se sécher. Ce serait bien que ces rêves s'arrêtent. Paul n'était plus là. Elle pensait toujours à lui avec un amour sans partage mais elle ne voulait pas être tirée en arrière vers le passé. Elle avait assez à faire pour préparer l'arrivée du bébé.

Une autre chose encore la troublait. Cela faisait deux jours qu'elle n'avait pas parlé à David. Depuis le début de son enquête, il la contactait chaque jour et tout à coup, le silence complet. Depuis la nuit du phare…

Avait-il compris ce qui se passait en elle ? Il lisait en elle à livre ouvert. S'il avait deviné qu'elle s'apprêtait à se jeter dans ses bras, elle préférait ne jamais le revoir. Quelle humiliation ! Rien n'était plus grotesque qu'une femme se jetant à la tête d'un homme.

Enfilant un vieux jean et un gros pull blanc, elle descendit nourrir Chou et préparer son propre dîner. Les pensées s'entrechoquaient toujours dans sa tête. Si elle avait appris dès son enfance à cacher ce qu'elle ressentait, c'était par nécessité — mais elle ne pouvait rien cacher à David. Avec lui, elle se sentait transparente et cela ne lui plaisait pas.

Avait-elle tort de continuer cette enquête ? Todd était un type bien ; avait-elle le droit de ne pas lui dire qu'il allait être père ? Si quelqu'un s'avisait de fouiller dans son propre passé, conclurait-il qu'elle ferait une mère acceptable ?

Elle devrait écrire à Todd, expliquer qu'elle ne lui demandait rien mais qu'il pourrait s'il le souhaitait jouer un rôle dans la vie de son enfant. Au pire, il ne répondrait pas à sa lettre — et dans ce cas, elle aurait sa réponse.

Plus elle y pensait, plus l'idée lui plaisait. Où qu'il se trouve, la poste ferait suivre sa lettre. Il la lirait, la contacterait ou non, et l'affaire serait réglée. Elle n'avait qu'à la rédiger ce soir, la poster demain matin à la première heure ; ensuite, elle appellerait David pour le prévenir. Ce serait inutile de le revoir et elle n'aurait plus à s'inquiéter des sensations qui s'emparaient d'elle en sa présence.

Son dîner terminé, elle s'installa sur le canapé du living avec un bloc et un stylo. Cher Todd, écrivit-elle. Je suis Susan Carter, nous nous sommes rencontrés il y a près de deux mois à un séminaire...

On sonna à la porte d'entrée, Chou se précipita en aboyant. Contrariée par cette visite surprise, elle posa son bloc sur la table basse, alla allumer la lumière extérieure et jeta un coup d'œil par le judas. A sa stupéfaction totale, elle vit David planté devant la porte — et fut atterrée de sentir une excitation subite courir dans ses veines.

Respirant à fond, elle ouvrit. Chou se précipita dehors et tout de suite, David se pencha pour le caresser. Un gros soupir lui échappa. Cinq minutes auparavant, elle avait réussi à se convaincre qu'elle ne voulait plus jamais le revoir. Maintenant qu'il était là, elle ne ressentait que de la joie.

Il se redressa de toute sa hauteur — comme elle était pieds nus, il la dominait de plus haut encore qu'à l'ordinaire. Il était bien rasé, bien coiffé, parfaitement séduisant ; elle prit conscience de son vieux jean délavé et de ses cheveux qui séchaient en vrac autour de sa tête.

— Je peux entrer ?

— Bien sûr..., murmura-t-elle en s'écartant, gênée.

Il passa devant elle, Chou sur les talons. Elle referma la porte en se disant que sa tenue n'avait aucune importance. David n'était qu'un détective privé qui travaillait pour elle — plus pour longtemps d'ailleurs. C'était absurde de se sentir si déçue. Devant lui, elle tenait à être toujours à la hauteur et ce soir, elle ne l'était pas. Et ce serait sans doute la dernière fois qu'elle le verrait.

Il venait sans doute faire son rapport, pensa-t-elle en le précédant dans le living. Elle l'écouterait poliment et quand il aurait terminé, elle le remercierait et lui annoncerait sa décision de stopper l'enquête.

— Je peux vous proposer quelque chose à manger ou à boire ? demanda-t-elle d'une voix qu'elle espérait détachée.

— Non, merci.

Lui aussi semblait poli et distant. D'un geste, elle l'invita à s'asseoir, reprit sa place sur le canapé et appela Chou. Cette fois, elle ne voulait pas le voir sur les genoux de David ; tout devait rester cordial mais très professionnel — comme cela aurait dû l'être depuis le début.

Il se carra sur son siège — et ne dit rien. Elle sentait ses yeux peser sur elle. Quelques jours auparavant, elle aurait soutenu son regard avec assurance ; ce soir, elle ne s'en sentait pas la force. Elle se concentra donc sur Chou en attendant qu'il prenne la parole.

— J'ai appelé tout à l'heure, dit-il enfin. Il n'y avait personne.

— J'étais sans doute sous la douche. Vous avez appris où se trouvait Todd ?

— Oui.

Elle attendit la suite. Comme rien ne venait, elle finit par le regarder. Cette fois, ses yeux n'étaient pas posés sur elle mais sur le brouillon de sa lettre.

— Vous lui écriviez.

— Qu'avez-vous découvert ? demanda-t-elle.

— Pourquoi lui écriviez-vous ?

— Aucune importance.

— Si, insista-t-il avec gentillesse. Dites-moi.

Elle comprit qu'il ne renoncerait pas. Et au fond, pourquoi hésiterait-elle à répondre ?

— Je vais lui dire, pour le bébé. Ce n'est pas un criminel, il n'est pas marié, il a le droit de savoir. A lui de décider s'il veut ou non jouer un rôle dans la vie du petit.

Pourquoi sa voix était-elle si tendue ? Très bien, pensa-t-elle, résignée. Je n'ai pas pu rester zen. Pourquoi David n'en venait-il pas au fait ?

— Il ne répondra pas à votre lettre.

Elle comprit tout à coup que les nouvelles n'étaient pas bonnes.

— Pourquoi pas ?

— Peu de temps après votre rencontre, Todd a délibérément causé une explosion au laboratoire où il travaillait.

Redressant brusquement la tête, elle l'interrogea du regard, alarmée.

— Vous êtes en train de me dire qu'il a démoli le labo parce qu'il était furieux qu'ils aient utilisé des pesticides ?

— Non. C'était une tentative de suicide.

Elle se laissa aller contre le dossier du canapé.

— Oh, non, soupira-t-elle. Il est gravement blessé ?

— Il est dans le coma.

Elle eut honte de sa propre mesquinerie. Un instant plus tôt, elle se préoccupait de son apparence, et lui cherchait le moyen de lui dire que le père de son enfant était dans un état critique !

— Vous avez pu le voir ?

Aurait-elle l'autorisation de lui rendre visite ?

— Personne ne sait que je suis au courant. J'ai suivi sa grand-mère à son insu. Il est dans une clinique privée, entouré de gardes du corps.

Chou poussa sa main du bout de sa truffe ; machinalement, elle se remit à le caresser.

— Quelles sont ses chances de survie ?

— Quasi inexistantes.

Chou s'agitait toujours. Quand il sauta à bas du canapé et disparut dans la cuisine, elle comprit qu'il demandait à sortir. Se mettant sur pied, elle alla déverrouiller la petite porte à sa taille. Ses gestes étaient automatiques, ses pensées entièrement occupées par ce qu'elle venait d'entendre. Dans son esprit, elle voyait défiler les quelques heures passées avec Todd. Ses gestes discrets, son sourire timide — sa façon de proposer de lui offrir un verre, son expression tandis qu'il lui avouait qu'il se sentait incapable d'écrire une lettre d'adieu à sa mère. Son chagrin sincère, sa révolte… tout cela avait-il contribué à sa décision d'en finir ?

Il était si jeune, il avait toute la vie devant lui. S'il avait su qu'ils venaient de concevoir un enfant ensemble…

Elle retourna dans le living, se laissa tomber sur le canapé.

— En fait, je ne le connaissais même pas. Je ne sais pas pourquoi je me sens si mal.

— Le fait d'avoir raté l'occasion de le connaître ?

— Je crois que c'est à cause de tout ce qu'il va manquer.

Le chagrin lui serra le cœur et elle murmura, déchirée :

— Il ne verra jamais son bébé.

Elle entendit sa voix se briser, sentit les gouttes rouler sur ses joues. A tâtons, elle chercha le paquet de mouchoirs en papier sur la petite table, renversa le petit dauphin qu'Ellie lui avait offert pour Noël ; la figurine tomba et se brisa en deux. Elle lança un juron et fut atterrée d'entendre sa voix d'autrefois, juvénile et fraîche, résonner dans la pièce.

— Tenez, dit la voix de David.

Sa main saisit la sienne, y plaça un mouchoir en papier qu'elle plaqua sur ses yeux en balbutiant :

— Je ne sais même pas pourquoi je pleure. Je n'ai pas pleuré depuis vingt ans. Il paraît que les hormones de grossesse peuvent vous faire pleurer sans raison mais j'ai l'impression de me comporter comme une folle.

Un sanglot rauque, humiliant lui échappa. Près d'elle, le canapé se creusa, elle sentit les mains de David l'attirer plus près, la caler confortablement contre sa poitrine.

— Allez-y, dit sa voix grave tandis que ses bras se refermaient sur elle. Vous n'avez pas besoin d'une raison pour pleurer.

La douceur de sa voix balaya ses dernières réticences. S'abandonnant contre lui, elle se laissa aller. Depuis l'âge de onze ans, elle savait que cela ne servait à rien de pleurer. A rien du tout ! Et pourtant, elle avait besoin de pleurer ce soir.

Quand enfin elle se calma, il la serrait contre lui en caressant ses cheveux sur un rythme apaisant, hypnotique. S'essuyant les yeux, elle marmotta :

— Désolée. Je n'avais encore jamais pleuré dans les bras d'un homme. Ça doit être très désagréable pour vous.

Sa main s'immobilisa

— Pourquoi ? demanda-t-il.

— J'ai trempé votre pull. Il est probablement fichu.

— Non, les larmes sont bonnes pour les pulls. Je m'arrange pour qu'on pleure sur les miens au moins une fois par semaine.

Elle ne put retenir un petit rire tremblant. Il était drôle, et tellement gentil. Elle devrait s'écarter de lui mais elle était si bien…

— C'était chez le médecin ou le dentiste ? demanda-t-elle.

— Chez… que voulez-vous dire ?

— Que vous avez lu l'article expliquant comment parler aux femmes qui pleurent.

— Oh, ça, répondit-il avec un peu trop de désinvolture. C'était au service psychiatrique de l'hôpital. Je me souviens encore du titre : « Comment réconforter les photographes qui ne pleurent qu'une fois tous les vingt ans ».

S'appuyant des mains sur sa poitrine, elle se redressa à demi pour voir son visage. Les yeux brillant de gentillesse, il essayait de ne pas sourire.

— Et on a fini par vous relâcher du service psychiatrique ou vous avez dû vous évader ?

Il rit, elle sentit la vibration dans sa poitrine se répercuter dans sa paume. Trop concentrée sur ces sensations, elle ne s'aperçut pas tout de suite que son bras s'était resserré autour d'elle.

— Susan…

Un chuchotement enroué, très différent de sa voix habituelle de baryton. Elle réalisa que son corps était pressé contre le sien de tout son long et que sa main se déplaçait d'elle-même — elle lui caressait la poitrine.

Dans un sursaut, elle arracha sa main ; il la saisit et la remit à sa place — elle sentit son cœur battre sous sa paume. En relevant les yeux vers les siens, elle revit le regard qu'elle avait cru y lire la première fois qu'il était venu chez elle. Un torrent de joie s'engouffra en elle.

Doucement, dans un geste presque interrogateur, il inclina la tête et plaça sa bouche sur la sienne. Elle eut à peine le temps de savourer un délicieux frisson qu'une chaleur subite lui coupait le souffle. Le baiser s'intensifia, la main de David glissa sous son pull ; quand ses doigts écartelés ne trouvèrent que sa peau nue, un grondement sourd lui échappa. Dans un vertige, elle se pressa contre lui… et une sonnerie stridente la paralysa. Sur la petite table, le téléphone s'était mis à sonner.

Tout de suite, il la lâcha. Lui saisissant les deux mains, il les serra entre les siennes et lutta pour reprendre son souffle.

— Susan, je suis tellement… désolé, haleta-t-il.

Elle scruta son visage, le cœur affolé. Regrettait-il de l'avoir embrassée ? Non, pas ça ! Mais l'expression était déjà là, gravée sur sa bouche. Oui, il regrettait. Et ce fichu téléphone sonnait toujours.

Elle ne pouvait plus le regarder en face. Quand elle se pencha pour décrocher, elle le sentit quitter le canapé. Sa hâte de s'écarter d'elle la laissa vide et glacée. Portant le combiné à son oreille, elle jeta :

— Allô ?

— Dieu merci, tu es là, haleta la voix de Barry. Mon ex s'installe chez moi !

— Quoi ? demanda-t-elle, luttant pour se concentrer sur ce nouveau problème.

— La Psychose est en route ! cria-t-il.

— Mais elle était en Floride, à harceler son troisième ex…

— Il vient de téléphoner. Il a porté plainte, alors elle a fait ses valises et pris la route. Elle arrive demain dans la journée.

— Pars de chez toi cette nuit, Barry. Ne laisse pas d'adresse, demande à ton propriétaire d'entreposer ce que tu ne peux pas emporter avec toi. Préviens-le qu'elle forcera peut-être la porte et qu'il doit appeler la police.

— Elle sait où je travaille.

— Tu n'as qu'à déplacer ton bureau dans l'ancienne réserve, il y a une serrure sur la porte. On demandera au standard de faire passer tes appels par mon poste. Si elle essaie de te contacter, je lui dirai que tu as accepté un poste à Chicago au *Blood & Guts*, tu sais, cette revue épouvantable éditée par des voyous. Si elle essaie d'y aller, elle se fera probablement agresser.

— J'ai pitié de l'agresseur qui voudra s'attaquer à elle, répartit Barry, un peu rasséréné. Dis, tu crois que je pourrais m'installer chez toi pendant un petit moment ?

— Ecoute, je n'ai pas vraiment la place. J'ai converti la deuxième chambre en bureau et la douche du haut en chambre noire. Quand Ellie dort chez moi, elle passe la nuit sur le canapé.

— J'ai horreur des motels. Enfin, je m'en contenterai.

— Ou alors, tu pourrais passer un coup de fil à Ellie, justement ! Son appartement a deux grandes chambres et deux salles de bains.

— Tu plaisantes ?

— Pas du tout !

Plus elle y pensait, plus l'idée lui plaisait. Une fois Barry sur place, Skip hésiterait peut-être à s'installer. Ellie hésiterait peut-être à l'encourager à le faire !

— Ellie ne voudra jamais, protestait Barry.

— Je ne l'ai jamais vue renvoyer un ami dans le besoin. Tu ne lui as jamais demandé un service ou tu le saurais. C'est un cœur en or.

— Tu crois vraiment qu'elle m'accueillerait ?

— Appelle-la, dis-lui ce qui t'arrive. Elle est au courant du coup de couteau que tu as récolté quand tu as demandé le divorce, elle comprendra la situation.

Un gros soupir explosa à son oreille.

— Ça vaut le coup d'essayer.

— Et n'oublie pas : dès demain, il faut voir un avocat et mettre en route la procédure pour lui interdire de te contacter.

— L'image est claire, ma grande, merci d'avoir affiné la mise au point. Je t'embrasserai plus tard. Tu couvriras mes arrières si j'arrive en retard demain ?

— C'est comme si c'était fait.

Ils échangèrent encore quelques phrases, puis elle raccrocha et se recroquevilla contre le dossier du canapé. David était retourné dans son fauteuil ; elle fut presque surprise de voir qu'il n'était pas parti.

— Un problème ? demanda-t-il avec un geste du menton vers le téléphone.

— Un ami qui avait besoin de conseils.

Il avait retrouvé toute sa réserve. En fait, le coup de fil de Barry était tombé à pic, balayant son brouillard mental, lui permettant de reprendre le contrôle de ses émotions.

En face d'elle, David se pencha en avant et braqua délibérément son regard sur le sien.

— Je vous fais mes excuses pour ce qui vient de se passer, mademoiselle Carter. Mon geste était inexcusable.

Ah, il l'appelait de nouveau « mademoiselle Carter » ?

— Je n'ai rien à dire pour ma propre défense, enchaîna-t-il. Je ne peux que vous demander de me pardonner, et vous promettre que cela ne se reproduira jamais.

Eh bien, voilà qui était clair ! Une envie d'en finir la saisit.

— Ce n'était qu'un baiser, dit-elle, impatientée.

S'il pouvait lui tourner le dos aussi facilement, elle y parviendrait aussi. Elle lança :

— Votre intégrité professionnelle n'est même pas entrée en jeu puisque l'affaire était déjà conclue.

— Vous estimez que l'affaire est close ?

— Y a-t-il une chance pour que Todd se remette un jour ?

— Il n'y a plus aucun signe d'activité cérébrale, dit-il avec douceur.

Ce qui signifiait que même si l'on parvenait à maintenir son corps en vie, ses pensées, sa personnalité… n'étaient plus. Elle sentit une tristesse familière s'installer en elle. Eh bien, elle s'en remettrait. Elle avait vu pire.

— Dans ce cas, je ne vois pas ce qu'on peut faire de plus.

— Il y a autre chose. Todd était le fils unique de Molly Ardmore Tishman. Vous portez l'arrière-petit-fils de Robert et Nancy Ardmore, le seul qu'ils auront jamais. Vous devriez envisager sérieusement de leur en parler.

— Parler aux Ardmore ? Oh, non, surtout pas.

— Pourquoi pas ?

— Si Todd pouvait encore le faire, ce serait sa décision — mais lui et moi, nous n'avons pas partagé une relation réelle, nous nous sommes juste croisés...

— Vous pensez qu'ils vous jugeront ?

— Je me juge, moi. Concevoir un enfant, le mettre au monde, ce n'est pas une simple question de biologie. Ce devrait être un acte conscient, un acte d'amour.

Un gros soupir lui échappa. Elle continua pourtant :

— Je me suis comportée comme une imbécile la nuit où j'ai conçu cet enfant, mais je choisis consciemment de le mettre au monde et je ferai de mon mieux pour être une bonne mère. Todd n'aura pas l'occasion de faire son propre choix.

— Les Ardmore aimeraient peut-être faire le leur.

— C'est ça ! s'exclama-t-elle, sarcastique. Ils seront ravis de voir une inconnue se présenter chez eux en affirmant qu'elle porte leur arrière-petit-enfant. Surtout alors qu'ils viennent de perdre leur fille unique il y a quelques mois, et que leur petit-fils est dans le coma.

— Justement. Après ces tragédies, ils seraient peut-être heureux d'apprendre l'existence du bébé.

— Ils penseront surtout que j'essaie de les escroquer.

— Un simple test A.D.N. prouverait ce que vous avancez.

— Je ne veux rien avancer du tout. Je ne veux pas endurer les complications légales et émotionnelles d'un test A.D.N., ou le tapage médiatique qui s'ensuivrait. Je n'ai aucune intention de voir ma vie privée, ou celle du bébé, étalée aux infos de 10 heures.

— Vous ne comptez parler à personne du père du bébé ?

— J'en parlerai au bébé quand il ou elle sera assez grand pour comprendre. Les enfants ont le droit de savoir qui sont leurs parents, ou qui ils étaient. En dehors de cela, je dois insister pour que tout reste strictement confidentiel.

— Si c'est ce que vous voulez. Mais que direz-vous à votre famille, vos amis, vos collègues ?

— Je n'ai pas de famille. Quant à mes amis et mes collègues, quand cela commencera à se voir, je leur dirai que j'ai obtenu une insémination artificielle.

Elle réfléchit un instant, puis secoua la tête.

— Je n'aime pas mentir mais dans ce cas précis, je n'ai pas le choix. Ils admettront cette explication. Cela ne leur viendrait pas à l'esprit que j'aie pu coucher avec un inconnu.

— Non, repartit David, personne ne penserait cela.

— Comme vous me l'avez fait remarquer un jour, monsieur Chevallier, aucun d'entre nous n'est ce qu'il semble être.

Elle se mit debout.

— Je vous fais mes excuses pour mon comportement ce soir. C'était absurde. Je vous remercie pour tout ce que vous avez fait.

Elle se tenait devant lui, très droite, et lui tendait la main. Il se leva à son tour sans la prendre.

— Tout le plaisir était pour moi, dit-il.

Il sortit rapidement de la pièce ; un instant plus tard, elle entendit la porte d'entrée se refermer.

David rentra chez lui en se répétant que c'était un soulagement de voir cette enquête se terminer — mais il ressentait une nostalgie insupportable. La tenir dans ses bras quand elle pleurait, sentir sous sa paume la soie emmêlée de ses cheveux, laisser son corps si doux se détendre contre le sien — c'était si bon !

Elle n'avait encore jamais pleuré dans les bras d'un homme ? C'était bouleversant qu'elle lui ait fait confiance à ce point. Jamais il ne se serait cru capable d'en profiter. Et voilà : il avait suffi du contact de sa main sur sa poitrine ; il n'avait pas pu se retenir de l'embrasser.

Et elle n'était pas restée passive ! Au contraire, sa passion lui avait fait perdre tout contrôle — pour lui dire en conclusion : « ce n'était qu'un baiser ».

Elle se trompait. Ce qui s'était passé n'avait rien d'anodin. Sans ce coup de téléphone, il ne se serait pas arrêté à un baiser. Rien n'aurait pu l'arrêter... Il s'aperçut que ses mains tremblaient sur le volant.

Deux ans auparavant, il avait renoncé à ses consultations de psychologie en mesurant sa propre incapacité : malgré sa formation, malgré ses diplômes, il n'avait pas su prédire les réactions de sa propre fiancée. Il n'avait pas su comprendre la femme qu'il croyait connaître mieux que quiconque. En sortant de l'épreuve, il pensait que la seule personne dont il comprendrait jamais le comportement, c'était lui-même — et même là, il se trompait ! Il s'était senti si sûr de contrôler ses émotions, si certain que, quoiqu'il ressente face à Susan, il ne ferait pas un geste !

Par chance, les circonstances l'avaient sauvé. L'enquête était close, il n'aurait pas à la revoir. Malheureusement, cette pensée ne le réconfortait pas.

Il avait besoin de recul, et de temps. Il se plongerait dans une nouvelle enquête, résoudrait une affaire difficile, tortueuse, qui absorberait toutes ses énergies. Demain matin, à la première heure, il verrait ce que son père pouvait lui proposer. Mais comment s'en sortir ce soir ?

A travers la tornade de pensées et d'émotions qui l'agitait, un réflexe professionnel le poussait à vérifier régulièrement son rétroviseur. Cette voiture sombre, deux places derrière lui... elle prenait les mêmes rues que lui, manœuvrait pour se placer dans la même file. Alerté, il se souvint d'en avoir vu une similaire alors qu'il se rendait chez Susan.

Se décidant brusquement, il se rabattit sur sa droite, s'engouffra dans la rampe d'accès d'une station-service ouverte toute la nuit, et se gara à l'angle du petit magasin, là où la cabine de son pick-up se trouverait dans l'ombre. La voiture fila devant lui, une Toyota bleu sombre, une femme au volant. En un éclair, il entrevit de longs cheveux, un regard braqué droit devant. Il n'y avait personne d'autre dans la voiture. Se haussant pour voir le pare-chocs arrière, il mémorisa la plaque.

Sautant à terre, il entra dans le petit magasin et choisit plusieurs cannettes de soda — un achat suffisamment volumineux pour être bien visible. Si la femme le filait, et s'il s'agissait d'une professionnelle, elle s'assurerait qu'il portait quelque chose en ressortant du magasin — sinon, elle comprendrait qu'elle était repérée. D'un geste désinvolte, il jeta son sachet sur la banquette, se glissa derrière le volant et reprit le chemin de chez lui. Quatre rues plus loin, il sentit ses cheveux se hérisser sur sa nuque en revoyant la voiture. Elle le suivait, il en était certain. Maintenant, il devait découvrir pourquoi.

10.

A l'heure du déjeuner, Susan mangea un sandwich à son bureau en lisant le journal. Un article la fit sourire : la famille Meyerson de Seaview dans l'Etat de Washington venait de vendre aux enchères un ours en peluche de la fabrique Steiff, datant de 1905, pour 195 000 dollars.

Ellie entra en coup de vent et se laissa tomber sur une chaise.

— Il me rend folle !

— Qu'est-ce qu'il a encore fait ? s'enquit-elle en posant son journal.

Elle savait déjà qu'il s'agissait de Barry. Depuis que celui-ci partageait l'appartement d'Ellie, celle-ci passait ou téléphonait chaque jour pour se plaindre.

— Tu sais ce qu'il a préparé pour le dîner hier soir ? se lamenta son amie. Des lasagnes et du pain à l'ail !

— Je ne vois pas le problème. Tu adores ça.

— Skip aussi ! Il en a repris deux fois et il a terminé le vin. Il était tellement assommé qu'il s'est endormi sur le canapé, j'ai dû le réveiller pour qu'il rentre chez lui à minuit. Tu parles d'une soirée romantique.

— Il est toujours chez ses parents, alors ? demanda Susan en s'efforçant de cacher sa satisfaction.

— Ouais. Quand il a parlé de s'installer chez moi, ils n'étaient pas enchantés — mais quand ils ont su que Barry s'installait dans la deuxième chambre pendant quelque temps, ils ont sauté au plafond. En fin de compte, ils sont convenus de lui laisser toute sa liberté du moment qu'il restait sous leur toit.

— C'est gentil de sa part de se préoccuper de leur avis.

— Mouais, grogna Ellie en se rongeant un ongle, mais j'aimerais qu'il se préoccupe un peu plus du mien.

— Qu'est-ce que tu veux dire ?

— Tiens, l'autre soir : pendant tout le dîner, Barry et lui n'ont fait que vociférer au sujet de je ne sais quel match de foot.

— Il y a des frictions entre eux ?

— Non ! Ils s'entendent trop bien au contraire. Quand je les vois ensemble… Barry traite Skip comme un fils, et Skip aime ça !

— Il cherche juste à être gentil. Il m'a dit que tu étais géniale.

— Barry a dit ça ? s'exclama Ellie, incrédule.

— Je cite ses mots exacts.

Mais pas la phrase complète ! En fait, Barry avait dit qu'Ellie était géniale de le dépanner — mais Susan ne voyait pas l'intérêt de le préciser.

— Il participe au ménage, concéda Ellie à contrecœur, comme si le compliment de Barry en exigeait un autre en retour. En fin de compte, il a peut-être quelques-unes des qualités de Paul.

En réalité, Paul n'avait fait le ménage qu'une seule fois, mais Susan préféra ne pas relever.

— Tout va s'arranger, dit-elle vaguement.

En fait, la situation lui plaisait assez telle qu'elle était. Si l'obsession d'Ellie pouvait être enrayée cette fois, elle ferait l'économie d'une peine amoureuse. Sa manie de choisir des hommes impossibles avait-elle un rapport avec les efforts qu'elle déployait autrefois pour se rapprocher de son père ?

Des efforts aussi inutiles que les siens, quand elle cherchait à gagner l'approbation de sa mère.

— Suz', ça va ? Je te trouve fatiguée en ce moment.

— Je crois bien que je travaille trop, mentit-elle.

— Si tu veux me repasser quelques papiers, tu n'as qu'à demander.

Le téléphone sonna.

— Merci, El', dit-elle en tendant la main pour décrocher.

Son amie sauta sur ses pieds et sortit avec un sourire.

— Mademoiselle Carter, ici Harry Gorman.

— Oui, monsieur Gorman, merci de me rappeler. Vous avez pu finaliser ma facture ?

— J'ai demandé les éléments à M. Chevallier mais il n'avait pas le temps de me les transmettre. Il me demande de vous dire de ne pas vous inquiéter si vous ne recevez pas de facture dans l'immédiat.

— Il a travaillé près de deux semaines sur mon enquête, nuits et week-ends compris, dit-elle en s'efforçant de ne pas élever la voix. Donnez-moi un chiffre et je vous ferai parvenir un chèque. Ensuite, quand la facture sera prête, nous pourrons régulariser.

— Je ne peux pas vous facturer quoi que ce soit sans l'autorisation de M. Chevallier.

— Je peux lui parler ?

— Il n'est pas disponible.

Il n'était jamais disponible quand elle appelait pour tirer cette question au clair ! Contrariée, elle remercia encore Harry de l'avoir appelée et raccrocha. Deux semaines déjà qu'elle attendait cette facture ! Elle avait besoin de clore ce chapitre de sa vie, pour ne plus penser qu'à son enfant à naître. Tant de responsabilités, tant de joies et d'inquiétudes, tant de choses à prévoir et à organiser… elle voulait oublier David.

Souvent, pourtant, pendant qu'elle patientait à l'affût d'une photo, elle avait la sensation étrange qu'il se tenait près d'elle. C'était si net parfois qu'elle se retournait. Bien sûr, elle ne voyait rien. Elle ne le reverrait sans doute jamais.

— Encore un appel de Mlle Carter, monsieur, dit la voix de Harry dans l'Interphone.

— Que lui avez-vous dit ?

— Exactement ce que vous m'aviez chargé de dire, monsieur.

— Parfait.

— Monsieur ?

— Oui, Harry ?

— Allons-nous envoyer une facture à Mlle Carter ?

— J'en doute.

— Oui, monsieur. Merci, monsieur.

David relâcha le bouton. Harry ne comprenait pas son attitude — pas plus que lui d'ailleurs. Toute logique à part, il n'avait pas envie d'expédier une facture à Susan.

Il ouvrit le dernier numéro de *True Nature* et parcourut les pages. Cette fois, il trouva les chauves-souris, dans le cahier central. L'impact des images le stupéfia. La première montrait une femelle accrochée la tête en bas, la queue recourbée en panier pour recevoir son bébé ; la suivante montrait la naissance du petit, pieds en avant, s'agrippant à la fourrure de la mère de ses orteils minuscules. Puis le corps du bébé émergeait, nu et rose, et la mère le retenait contre elle de son aile. Dans la toute dernière de la séquence, le bébé tétait, blotti contre sa mère, tandis qu'elle le nettoyait soigneusement.

Avec talent et tendresse, Susan avait su présenter ces petites créatures mal-aimées sous un jour nouveau.

On frappa à la porte. Laissant retomber la revue, il lança :

— Entrez !

Son frère Richard poussa la porte. L'aîné des quatre frères était entré dans la firme dès la fin de ses études, et David avait beaucoup de respect pour ses capacités.

— Madeline McKinney refuse de me dire pourquoi elle te suit, lança-t-il de but en blanc, manifestement contrarié.

— Je vous croyais amis tous les deux.

— Nous avions passé de bons moments ensemble à un congrès d'enquêteurs il y a quelque temps — mais comme elle vient de me le préciser, nous ne sommes pas amis.

Son expression surprenait un peu son jeune frère. Il ne s'agissait pas du simple agacement d'un homme accoutumé à obtenir des résultats, Richard était furieux et peut-être même blessé.

— Elle vient de me mettre à la porte de son bureau en affirmant qu'elle ne s'intéressait pas du tout à tes activités.

— Je l'intéresse, répliqua David. Elle m'a suivi jusqu'à la semaine dernière. Je l'ai repérée il y a deux semaines mais j'ai eu du mal à l'identifier parce qu'elle conduisait une voiture de location.

— En fait, je crois qu'elle n'a pas apprécié d'être repérée. C'est une excellente enquêteuse, très douée pour les filatures. Elle n'acceptera jamais de te donner le nom de son client.

David encaissa durement la nouvelle.

— Autrement dit, c'est une impasse ?

— Pas obligatoirement. Elle a un client qui s'intéresse à tes activités récentes. Demande-toi où ces activités t'ont emmené et qui pourrait avoir une raison de te faire suivre.

Il s'était déjà posé ces questions et les réponses ne lui plaisaient guère. Il ne voyait aucune raison pour que son enquête précédente pour retrouver la jeune fugueuse débouche sur une filature ; ce devait donc être lié à Todd Tishman. Et Madeline McKinney l'avait suivi chez Susan.

Les soirées suivantes, il s'était délibérément rendu chez plusieurs jeunes célibataires, pour suggérer que ses visites nocturnes étaient personnelles, sans rapport avec ses enquêtes. Le fait de ne pas savoir si le stratagème avait fonctionné le rendait nerveux.

Il remercia son frère, qui repartit dans son propre bureau. Ce serait le moment de se remettre au travail. Il avait un nouveau client, un homme cherchant à retrouver un frère dont il avait perdu la trace vingt ans plus tôt, après une dispute. Il ne pouvait donner aucune piste, aucun point de départ ; c'était exactement le genre d'enquête dont il avait besoin pour cesser de penser à Susan.

Pourtant, il ne reprit pas le fil de ses recherches. Ouvrant sa messagerie électronique, il afficha le planning de Susan, qui n'avait cessé de lui parvenir, et lut les thèmes de ses prochaines séances photos. Il avait hâte de voir ce qu'elle en ferait.

De sa vie, Susan n'avait jamais vu d'ours noir albinos. Une vraie merveille ! Le pelage blanc de l'ours était splendide, surtout à côté du noir luisant de son compagnon d'enclos, au refuge naturel. Ce contraste serait l'élément clé de la photo.

Pourtant, il manquait quelque chose. Elle venait de les contempler en silence pendant quarante minutes en attendant un geste, une expression. Ces ours n'avaient aucune personnalité, ils somnolaient sur leur rocher comme deux énormes carpettes de fourrure.

Ce refuge leur offrait des environnements propres et spacieux, conçus pour reproduire leur habitat naturel — mais ils étaient tout de même captifs. Si elle avait dû deviner ce qui les rendait si léthargiques par cette journée étincelante de printemps, elle aurait dit qu'ils s'ennuyaient. Elle croyait presque voir Chou quand elle n'avait pas le temps de s'occuper de lui et qu'il s'était lassé de ses jouets.

Tiens, tiens ! Laissant là son trépied, elle retourna vers sa voiture, se mit à fouiller à l'arrière et finit par retrouver le petit ballon rouge vif en caoutchouc plein que Chou aimait tant attraper. Revenant près de l'enclos, elle visa avec soin, le lança par-dessus la clôture métallique et se hâta de reprendre position derrière son appareil. A travers l'objectif, elle vit le jouet rebondir devant les ours apathiques.

L'ours noir se redressa le premier. Intéressé, il se pencha, donna un coup de patte dans la balle. Projetée en l'air, celle-ci rebondit sur la poitrine de son compagnon blanc, qui n'avait pas encore bougé. Surpris, il fit un mouvement qui renvoya la balle en plein sur la truffe de son compagnon.

Installé dans son pick-up, David riait tout haut en suivant la scène à travers ses jumelles. Des ours en train de jouer au ballon ! Il s'était demandé comment Susan parviendrait à injecter un peu de vie dans des photos de bêtes si molles. Sa solution était ingénieuse et il avait hâte de voir ces images dans le prochain numéro de la revue !

D'ailleurs, il attendait avec la même impatience chaque photo qu'il l'avait vue prendre depuis deux semaines — car, informé par son planning, il se présentait à chaque séance, s'installait à l'écart et la regardait travailler.

Il réalisa tout à coup qu'à l'époque où il était psychologue, il aurait appelé cela un comportement obsessionnel. Troublé, il regarda en face sa propre conduite. Pour sa propre santé mentale, il devait cesser — et pour cela, il n'y avait qu'un moyen de faire : poser ses jumelles, démarrer son pick-up et partir. Déprogrammer la réception des plannings, ne plus jamais se rendre sur les lieux où elle travaillait. Il connaissait parfaitement les gestes à accomplir pour obtenir le résultat souhaité — mais il se sentait incapable de les faire.

Le déclencheur crépitait, le soleil un peu voilé luisait sur la fourrure des ours et la surface rouge vif du ballon, les pins vert sombre offraient un fond moelleux. Contraste, couleur, mouvement, forme et texture étaient au rendez-vous, et le tempérament joueur des ours éclatait à chaque image.

Elle adorait voir la nature se révéler ainsi, dans sa douceur ou sa violence. Instinctivement, ces ours avaient su quoi faire du ballon rouge. Concentrée sur les images somptueuses qui se déroulaient devant son objectif, elle perdit conscience de tout le reste.

Il n'y eut aucun avertissement. Des mains brutales la tirèrent en arrière ; elle tomba à la renverse contre un corps aussi dur qu'une planche de bois. Abasourdie, incrédule, elle esquissa un geste pour se débattre et instantanément, un bras s'enroula autour d'elle comme un étau, une main gantée se plaqua sur sa bouche.

La panique la saisit. Son cœur s'emballa, elle se tordit de toutes ses forces pour s'échapper mais on la traînait en arrière, elle ne parvenait pas à reprendre son équilibre. Impossible de hurler, la main sur sa bouche la bâillonnait, le coude dans son diaphragme l'empêchait de respirer librement. Et personne pour l'aider, le refuge était fermé au public pour la journée, le gardien ne repasserait pas avant sa prochaine ronde !

Elle s'arc-bouta, traîna les pieds sur le sol pour freiner leur progression. L'homme ralentit à peine. Elle se débattit encore, déterminée à lui échapper. En vain. Puis, aussi subitement qu'il l'avait saisie, il la lâcha. Elle tomba lourdement sur le sol, étourdie — entendit courir derrière elle, puis un moteur rugit, des roues patinèrent sur du gravier. Son agresseur s'enfuyait !

— Susan !

Médusée, elle releva la tête. C'était impossible, elle devait imaginer sa voix, comme elle avait si souvent imaginé sa présence. Pourtant, c'était bien David qui courait vers elle, se jetait à genoux à ses côtés.

— Susan, répéta-t-il en lui touchant la joue.

Il haletait, la sueur ruisselait sur son visage. Jamais elle n'avait rien vu d'aussi beau.

— David, articula-t-elle.

Ses bras se refermèrent sur elle et il la broya contre lui. Voilà pourquoi l'homme l'avait relâchée : il avait vu David foncer vers eux ! Les questions qu'elle voulait poser perdirent toute importance. Il était là, elle était en sécurité dans ses bras et plus rien d'autre ne comptait.

— Tu n'as pas mémorisé sa plaque minéralogique ? demanda Jared de son ton le plus officiel.

David crispa les poings.

— Non. J'étais trop loin quand j'ai vu ce type la saisir. Sa camionnette était à l'autre bout de l'allée. Je n'ai pensé à rien d'autre qu'à les atteindre avant qu'il ne la fasse monter.

— La portière de la camionnette était ouverte ? demanda son frère, de cette voix irritante et trop calme.

— Oui ! explosa David en arpentant nerveusement le parking. Je t'ai déjà dit tout ça. Qu'est-ce que tu attends pour partir à sa recherche ?

— Je ne peux pas lancer un avis de recherche pour une camionnette noire, marque, modèle et année inconnus, repartit sereinement Jared en s'appuyant contre le capot du pick-up. Il me faut quelque chose de plus.

Il avait raison, David le savait, mais il ne pouvait rien lui dire de plus. Quand il pensait à ce qui aurait pu se passer s'il avait posé ses jumelles comme il s'ordonnait de le faire, s'il était parti un instant plus tôt ! Ou si, voyant le type se jeter sur elle, il n'était pas arrivé à temps !

Il se retourna vers l'ambulance. Susan était à l'arrière, un infirmier l'examinait et elle ne cessait de répéter qu'elle allait bien. David l'avait pourtant sentie trembler entre ses bras.

— Je ne peux même pas te donner une description du type, dit-il à son frère. Il avait un masque de ski sur le visage. Je sais juste qu'il portait un blouson de cuir noir, des gants de cuir noir, et qu'il semblait très grand et très solide.

— C'est déjà mieux que ce que Mlle Carter a pu nous dire.

— Que voulais-tu qu'elle te dise ! Il est arrivé derrière elle, elle n'a pas pu le voir, à aucun moment.

Jared leva les mains dans un geste apaisant.

— Calme, David, du calme. Je ne la mets pas en cause, je ne fais qu'énoncer des faits. Qu'est-ce qui te prend ?

David respira à fond, soupira longuement.

— Cette histoire me rend fou.

— Personne ne te demande de rester insensible.

— J'arrive toujours à rester détaché, je suis comme ça. Enfin, j'étais comme ça.

— Mon frère, nous finissons toujours par changer, lâcha Jared en se redressant. Alors, qu'est-ce que tu fichais ici ?

— Ce n'est pas important.

Jared scruta son visage en tapotant son bloc de son stylo.

— Moi, ça me convient mais il me faudra quelque chose pour le rapport officiel.

— Je passais par là.

— D'accord, tu passais par là. Tu as vu une dame se faire agresser et tu as voulu l'aider. Où étais-tu exactement quand l'autre lui a sauté dessus ?

David agita vaguement la main derrière lui.

— Dans mon pick-up, garé de l'autre côté de la clôture.

Jared évalua la distance, pensif.

— Tu as escaladé cette clôture de quatre mètres, grimpé cette pente couverte de buissons et tu es quand même arrivé à temps pour faire fuir ce type ? Je suis content de ne plus t'affronter dans les pentathlons.

— Comment est-ce qu'il est entré, Jared ? s'exclamait David sans l'écouter. Le refuge est fermé pour la journée, les grilles sont verrouillées.

— Par l'entrée réservée au personnel. Le gardien dit qu'on a retiré la barrière qu'il avait placée en travers après avoir laissé passer Mlle Carter.

— Ce salaud devait la suivre. Il a vu le gardien la faire entrer et il a attendu qu'il s'éloigne avant de passer à son tour. Jared, c'était trop bien orchestré, quelqu'un en a après Susan.

— Je suis d'accord avec toi. Et toi, tu étais là parce que tu t'attendais à quelque chose de ce genre ?

— Non.

— C'était ta cliente.

— Comment sais-tu ça ?

— Grâce à mon habileté proverbiale dans les interrogatoires. Je lui ai dit que j'étais ton frère, elle m'a dit qu'elle était ta cliente. Alors, donne-moi un point de départ.

— Je vais te donner un sacré point de départ. Une détective privée du nom de Madeline McKinney s'est mise à me suivre pendant que je travaillais sur l'affaire de Susan. Arrange-toi pour savoir pour qui elle travaillait et je te parie que tu tiendras celui qui a voulu faire enlever Susan aujourd'hui.

— Je connais McKinney, dit lentement Jared. Elle ne se laissera pas marcher sur les pieds. Elle choisit bien ses clients, et elle ne donnera pas le nom de celui-ci sans une injonction du juge. Pour obtenir une injonction, il me faut un motif vraisemblable. Tu as une idée ?

— Je sens dans mes tripes que McKinney a mené ce salaud droit à Susan.

— Si je me présente dans le bureau de McKinney sans autre arme que tes tripes, elle me rira au nez.

— Alors c'est moi qui irai lui parler.

Il n'avait pas élevé la voix mais son expression arracha un sifflement à Jared. Regardant son frère comme s'il le voyait pour la première fois, il murmura :

— Nom de Dieu. Moi qui te prenais pour le type sérieux de la famille…

— Toi, assure-toi juste qu'on emmène Susan à l'hôpital, lâcha David en se tournant vers son pick-up. Et assure-toi aussi que quelqu'un restera auprès d'elle jusqu'à mon retour.

L'immeuble se trouvait dans un vieux quartier aux rues escarpées et aux maisons anciennes. Les premiers pionniers s'étaient installés sur les hauteurs dominant un petit bras de mer et un cours d'eau qui regorgeait de saumons à l'époque.

Sur la porte d'acajou massive, il trouva la plaque de la firme McKinney et McKinney. Madeline et son père étaient les seuls concurrents sérieux de Chevallier-Blanc sur toute la péninsule. David avait souvent entendu sa famille parler d'eux sans avoir jamais eu l'occasion de les rencontrer.

En s'approchant de la réception, il nota que la porte à sa droite était ouverte sur un bureau vide — cela laissait donc la porte close à sa gauche. Se plantant devant la jeune femme à l'accueil, il demanda poliment :

— Madeline est là ?

La secrétaire cessa de taper pour lui sourire.

— Vous avez rendez-vous ?

Jetant un coup d'œil au téléphone près d'elle, il vit que le bouton de la troisième ligne était allumé.

— Elle me verra sans rendez-vous, affirma-t-il.

Sans lui laisser le temps de réagir, il tourna la poignée de la porte close, s'engouffra à l'intérieur — et reconnut au premier coup d'œil la femme qui le suivait jusqu'à la semaine précédente.

Assise derrière un bureau d'acajou, les pieds croisés sur le sous-main, ses longs cheveux roux rejetés en arrière, elle parlait avec animation au téléphone calé au creux de son épaule. Dès qu'elle le vit, son visage se figea ; elle se leva d'un mouvement fluide et il vit qu'elle était presque aussi grande que lui.

— Je te rappelle, articula-t-elle avant de raccrocher sèchement.

Puis, se tournant vers son visiteur, elle lança avec fureur :

— Je peux savoir ce qui vous prend d'entrer ici sans y être invité ?

— Quelqu'un vient de tenter d'enlever Susan Carter, tonna-t-il, si sauvagement qu'elle eut un mouvement de recul.

Délibérément, il se plaça nez à nez avec elle, arc-bouté en avant, les poings plantés sur le bureau. Elle retomba en arrière sur son siège.

— Si je n'avais pas été là, ils auraient réussi. Vous m'avez suivi chez Susan, et ensuite vous avez donné son nom à ce fumier. Je vais faire sauter votre licence, McKinney. Et si jamais on touche à un seul de ses cheveux, j'aurai aussi votre peau.

Il se redressa, fit volte-face et sortit en claquant la porte si violemment que des livres basculèrent des étagères. Du coin de l'œil, il vit la réceptionniste se tapir derrière son bureau. Il claqua également la porte d'entrée.

Cela ne lui était encore jamais arrivé de faire une scène pareille, mais il avait atteint son objectif. Il souhaitait terrifier Madeline McKinney et d'après son expression, il y était parvenu.

*
* *

Susan se blottit sur le canapé en serrant Chou contre elle. Les pas de David résonnaient dans toute la petite maison tandis qu'il vérifiait chaque fenêtre, chaque serrure. Bientôt il déboucha dans le living et lui lança sans préambule :

— Vous ne pouvez pas rester ici.

— C'est ma maison, répondit-elle sans emphase.

— Susan, vous n'êtes pas en sécurité ici. N'importe qui pourrait entrer. Vous ne comprenez pas ce qui a failli se passer ?

Lui tournant le dos, il fourra les mains dans ses poches et se mit à marcher de long en large. La tension qui émanait de lui était tangible, elle savait qu'il était en colère, non pas contre elle mais *pour* elle. De son côté, elle ne ressentait qu'une immense reconnaissance. L'ambulance l'avait emmenée aux urgences pour qu'un médecin puisse l'examiner. Le bébé n'avait rien, il n'y avait plus de danger et David était là. Que demander de plus ?

Au moment où il venait de la sauver, il l'avait serrée contre lui avec émotion — puis il s'était écarté. Elle sentait que si elle tentait de le prendre dans ses bras, il s'écarterait de nouveau. Il avait de la tendresse pour elle, il la désirait mais pour une raison incompréhensible, il tenait à garder ses distances — et cette raison comptait plus à ses yeux que ses sentiments pour elle… quels qu'ils soient.

— David, merci de m'avoir sauvé la vie. Les paroles ne valent pas grand-chose mais c'est tout ce que j'ai. Je ne sais pas par quel hasard vous êtes passé au refuge aujourd'hui mais si vous n'aviez pas été là…

Il écarta ses mots d'un geste irrité.

— Arrêtez de me remercier, vous voulez ? C'est moi qui vous ai mis en danger.

Elle se redressa brusquement.

— Comment ?

Cessant son va-et-vient, il se retourna vers elle et la dévisagea quelques instants avant de répondre.

— J'aurais dû vous en parler plus tôt.

Elle sentit son cœur se serrer.

— Au moment où j'enquêtais sur Todd, reprit-il avec effort, j'ai été suivi par un autre détective privé.

Elle fronça les sourcils, essaya de comprendre.

— Mais... pourquoi ?

Ses mains replongèrent dans ses poches, il se remit à arpenter la pièce.

— Je posais des questions sur Todd, son père, ses grands-parents, son meilleur ami, les personnes impliquées dans l'accident qui a tué sa mère. Quelqu'un, quelque part a pris peur, et ils ont embauché cette autre détective pour découvrir où je voulais en venir.

— Qui ?

— Je ne sais pas, mais cette personne cherchait mon client — et je l'ai menée droit chez vous.

— Vous pensez que cet homme, aujourd'hui... qu'il m'en voulait personnellement ?

— C'était une tentative d'enlèvement bien planifiée. Il vous surveillait probablement depuis des jours, peut-être des semaines. Il attendait le moment de vous tenir seule dans un endroit discret pour agir.

Un frisson la secoua. C'était déjà assez effrayant d'être la victime d'une agression, mais d'en être la cible ! Elle lutta pour garder son calme.

— David, ça ne tient pas debout. Pourquoi s'en prendre à moi ? Je ne menace personne.

— Il n'y a qu'un élément dans votre vie qui puisse vous attirer ce genre de problème.

— Pas le bébé ! s'écria-t-elle instantanément. Je n'ai dit à personne que j'étais enceinte.

— Quand êtes-vous allée chez votre obstétricien pour la dernière fois ?

— Il y a dix jours. Mais c'est aussi un gynécologue, même si on m'a suivie là-bas, on n'a pas pu savoir…

— Souvenez-vous de ce dernier rendez-vous. La personne à l'accueil vous a-t-elle posé une question sur votre grossesse ? Elle a dit une phrase qu'on aurait pu surprendre ?

Elle réfléchit, finit par secouer la tête.

— Non.

— Et dans la salle d'attente, vous avez parlé à quelqu'un ?

— Eh bien… oui. J'ai demandé à la dame assise près de moi où elle avait acheté sa robe de future maman. Ensuite, nous avons un peu parlé des nausées, de la fatigue…

— Y avait-il dans la salle d'attente une femme très grande, avec de longs cheveux roux ?

Elle plissa les yeux pour revoir la scène.

— Une femme très grande est bien entrée après moi mais si je me souviens bien, elle avait des cheveux courts, plutôt sombres.

— Elle portait sans doute une perruque. Le détective privé qui m'a suivi était une femme. Si elle a surpris cette conversation, elle sait que vous êtes enceinte.

— Bien vu, mais ça ne me suffit pas. Même si cette femme m'a suivie, même si elle sait que je suis enceinte, comment aurait-elle pu apprendre que Todd était le père ? Je ne le savais même pas moi-même avant que vous ne me le disiez.

Il se pencha brusquement en avant.

— Mais Todd savait qui vous étiez. Vous vous souvenez de cette enveloppe à votre nom ? Et des livres sur la photographie qu'il prenait à la bibliothèque ? Si Todd a parlé de vous à quelqu'un, s'ils ont appris par la suite que vous le recherchiez et que vous étiez enceinte, ce n'était pas difficile de faire le rapprochement.

— C'est tellement insensé, je n'arrive pas à…

— Je sais que c'est difficile mais vous devez me croire. Vous êtes dans une situation dangereuse.

Oui, cela, elle pouvait le croire. Elle sentait encore les mains de son agresseur sur elle !

— Vous ne pouvez pas rester ici, répéta David. Ils savent où vous habitez.

— Je ne connais aucun motel où on accepterait Chou.

— Les motels exigent aussi des papiers d'identité, une carte de crédit — ce serait trop facile de vous retrouver, réfléchit-il tout haut. Pire encore, vous seriez obligée de laisser votre voiture en pleine vue. Non, ce n'est pas une solution. D'ailleurs, vous ne pouvez rester nulle part toute seule.

— L'appartement de ma meilleure amie est plein à craquer en ce moment, elle héberge son petit copain et un ami à nous. Je n'ai pas d'autre endroit qu'ici et je ne serai pas seule puisque j'ai Chou.

— Vous n'avez même pas d'alarme. Même si vos serrures étaient convenables, il suffirait de briser une vitre pour entrer. Je sais bien que Chou est un compagnon charmant mais ce n'est pas un rottweiler !

Le petit animal leva la tête, outré. Susan lui frotta le museau.

— Tu me vas comme tu es. Je suis bien contente que tu ne sois pas un rottweiler.

Rassuré, Chou lui lécha la main et reposa la tête sur son genou. Elle leva de nouveau les yeux.

— Nous restons ici, David.

— C'est dangereux.

— Tout ira bien.

Il poussa un soupir explosif.

— Est-ce que vous avez une arme ?

— Non.

— Si je vous en laisse une, est-ce que vous vous en servirez au besoin ?

— Je n'ai même jamais touché une arme à feu.

— Alors, qu'est-ce que vous comptez faire si quelqu'un force la porte ?

— J'appellerai les flics et je ferai des moulinets avec mon trépied en les attendant.

11.

Le soleil ruisselait sur la peau nue de Susan, ses orteils s'enfonçaient dans le sable chaud. Prenant une grosse poignée de sable humide, elle façonna en quelques gestes une tourelle à l'angle du château que Paul et elle bâtissaient sur la plage. Elle fignolait des créneaux quand il lui lança un sourire :

— Je parie que je peux terminer mon côté avant toi.

Elle se redressa immédiatement sur les genoux, prête à relever le défi.

— Je marche !

Attirant à elle encore du sable humide, elle s'attaqua au mur d'enceinte. Plus le temps de soigner les détails ; à deux mains, elle creusa les douves, s'attela au problème du pont-levis. Cela prenait forme, elle travaillait à toute allure, sûre de gagner… mais moins de cinq minutes plus tard, Paul sauta sur ses pieds en criant :

— Terminé !

Elle s'assit sur les talons et leva la tête vers lui, les yeux plissés sous le soleil intense.

— Tu ne peux pas avoir terminé. On vient juste de commencer.

— Viens voir.

Elle contourna l'édifice. De l'autre côté, à la place des tours et des chemins de ronde, il n'y avait qu'un mur informe avec un message profondément gravé. « Je t'aime. » Se retournant vers son mari de trois jours, elle noua les bras autour de sa taille.

— C'est un très beau château, dit-elle.

— Question de technique, se vanta-t-il en agitant son index couvert de sable. Viens, on va marcher.

— Attends, je ferais bien de mettre de la crème.

— Pas besoin. On n'en a pas pour longtemps.

Il l'entraînait quand une voix grave s'éleva derrière elle.

— Susan ne peut pas aller se promener tout de suite. Elle doit se protéger du soleil.

Une ombre immense s'abattit sur elle. Elle se raidit. Deux mains solides se posèrent sur ses épaules, des mains qui la réchauffaient mieux que les rayons du soleil.

— Viens avec moi, dit la voix, tandis que les mains sur ses épaules se raffermissaient. Je ne te laisserai pas te brûler.

Elle se retourna vers Paul pour voir sa réaction, mais son visage n'était plus qu'un masque inexpressif.

Elle se redressa d'une détente, tremblante, et ramena sa couette autour d'elle. D'après le cadran lumineux de son réveil, il était 3 heures 48.

— C'est juste un rêve, gémit-elle.

Elle se souvenait très bien de cette journée, déjà revue en rêve. Le château de sable, Paul écrivant « Je t'aime » au lieu de terminer son côté — elle se souvenait de tout. Que venaient faire là cette interruption, *sa* voix, *son* ombre, *ses* grandes mains tièdes sur ses épaules ? David…

David était intervenu alors qu'elle rêvait de Paul. Jamais auparavant un élément extérieur n'était entré dans ses rêves, qui étaient toujours la réplique exacte d'événements du passé. Une réplique si exacte qu'elle s'attendait toujours à trouver Paul près d'elle au réveil. Pas cette fois pourtant.

Une pensée nouvelle la troublait. Ce jour-là, Paul et elle avaient marché très longtemps sur la plage, lui faisant récolter un sérieux coup de soleil — si sérieux qu'elle avait dû passer le reste de leur lune de miel à l'hôtel. Et voilà que David faisait irruption dans son rêve pour l'avertir du danger.

Elle se secoua sèchement et Chou à ses pieds dressa la tête avec un regard interrogateur.

— Tout va bien, dit-elle. Je perds la tête, c'est tout.

Chou ne sembla pas rassuré pour autant. Sautant sur ses petites pattes, il se mit à gronder. C'est alors qu'elle entendit un faible bruit sous son balcon, puis le craquement sec d'une brindille.

Alertée, elle tendit l'oreille. Chou s'élança du lit en aboyant furieusement et se jeta contre la porte-fenêtre close. D'une détente, elle rejeta les couvertures, bondit du lit et saisit le lourd trépied placé à son chevet. Elle tendait la main pour allumer quand une voix familière arrêta net son geste.

— Pas de lumière, ordonna David de la porte.

Elle sursauta violemment, choquée.

— David ! Qu'est-ce que vous fichez là !

Sans répondre, il traversa la chambre à grand pas et se posta près de la fenêtre. Le cœur battant à tout rompre, elle vit la lueur d'un réverbère se refléter sur ses jumelles à vision nocturne, et sur l'arme à feu qu'il tenait à la main. Chou n'aboyait plus, il tournait en gémissant devant la fenêtre.

Abaissant ses jumelles, David pivota vers la porte en murmurant :

— Restez là. Ne bougez pas. Je reviens.

Quand il voulut sortir, Chou se précipita pour l'accompagner. Il le souleva et l'apporta à Susan, qui dut poser son trépied pour le prendre.

— Pas mal, ce petit chien de garde, murmura-t-il encore, avant de se couler dehors.

— Un merveilleux petit chien de garde, corrigea-t-elle dans un souffle.

Assise sur le rebord du lit, elle serra son petit chien contre elle et attendit son retour. Un tremblement incontrôlable l'agitait. L'homme qui avait cherché à l'enlever était-il ici ? Malgré les avertissements de David, elle s'était sentie en sécurité chez elle… jusqu'à cet instant. Et David ? Elle se souvenait très bien d'avoir verrouillé la porte derrière lui quand il était parti, vers 18 heures. Comment avait-il fait pour entrer ?

Il ne cessait de la protéger, dans la réalité comme dans ses rêves… Elle qui estimait qu'une femme doit être forte et indépendante — puisqu'elle ne peut compter sur personne d'autre — elle avait la curieuse impression de pouvoir *s'appuyer* sur lui. Cette sensation était comme une drogue à laquelle elle s'accoutumait peu à peu.

Au bout de quelques minutes, elle sursauta en le voyant reparaître sur le seuil. Elle ne l'avait pas entendu approcher.

— Votre intrus semble n'avoir été qu'un grand chien en vadrouille, dit-il en se laissant tomber dans le fauteuil, le souffle court.

Rassurée, elle s'écria :

— Enfin une bonne nouvelle ! Merci d'avoir été là…

— Je vous l'avais dit. Vous ne pouvez pas rester seule.

Cette voix brusque… pourquoi ne pouvait-il accepter le moindre remerciement de sa part ?

— Vous avez raté votre dîner chez Mélie, dit-elle.

— Ce n'est pas le moment de parler cuisine.

— Et vous n'avez probablement pas fermé l'œil de la nuit.

— Ce n'est pas non plus le moment de parler sommeil.

Elle non plus n'avait pas envie de parler, elle aurait aimé lui ouvrir les bras, lui dire à quel point elle était émue par ce qu'il faisait pour elle — mais cela outrepasserait les limites de ce qu'il autorisait. Elle se contenta donc de demander :

— Comment êtes-vous entré ?

— Par la fenêtre de votre buanderie. Je vous avais dit que cette maison n'était pas sûre.

— Vous étiez en bas ?

— Sur le canapé, depuis 23 heures. Où allez-vous ?

Elle se retourna.

— Chercher une robe de chambre. Je doute fort que nous puissions encore dormir cette nuit, je vais nous préparer quelque chose à manger.

Longuement, il promena le cercle lumineux de sa lampe torche sous le balcon. La végétation épaisse et élastique ne préservait aucune empreinte mais il examina avec soin le pourtour de la maison, terminant avec le petit jardin clos, un simple carré de pelouse bordé de buissons épais — et faciles à franchir.

Chou aboyait-il après le chien errant qu'il avait fait fuir tout à l'heure ? Ou après le chauffeur du véhicule qu'il avait entendu en sortant démarrer dans une rue voisine ? Il s'était précipité jusqu'au carrefour pour tenter de le voir — en vain. Cette voiture appartenait-elle à un voisin prenant la route à une heure très matinale — ou à l'agresseur de Susan ? Il ne pouvait pas en être sûr mais cette fois, sa décision était prise : elle ne dormirait plus ici tant que tout n'était pas tiré au clair.

Attiré par de délicieuses odeurs de cuisine, il se décida à retourner à l'intérieur. Il n'avait rien mangé depuis le déjeuner de la veille et se sentait trop affamé pour refuser sa proposition. Il connaissait aussi trop bien son talent de cuisinière ! Une omelette et de petits pains tout chauds l'attendaient. Elle s'assit en face de lui avec une tisane ; ses paupières étaient lourdes, ses doux cheveux défaits.

Quand il tenta de la renvoyer au lit, elle répliqua qu'elle ne dormirait que s'il se reposait aussi. Elle était têtue comme une mule et belle à lui briser le cœur. Il se concentra sur son repas, tenta de reprendre le fil de ses pensées. Il aurait besoin de toute sa finesse pour surprendre l'homme qui la traquait.

Tant qu'elle ne serait pas en sécurité, il aurait les mains liées — mais la connaissant, il serait obligé de prendre des gants pour lui expliquer sa stratégie.

— Je vais vous demander de boucler un sac avec des affaires pour quelques jours, dit-il. Disons une semaine. Je vous ai trouvé un lieu sûr.

Il y eut un instant de silence, puis elle demanda :

— Vous me proposez vos services en tant que garde du corps ?

— A moins que vous ne préfériez quelqu'un d'autre, dit-il aussi négligemment qu'il le put.

Tendu, il attendit sa réponse sans la regarder, en beurrant un petit pain pour se donner une contenance. Si elle allait décider de s'adresser ailleurs ! Il ne pouvait faire confiance à personne d'autre pour la protéger, plus maintenant.

— Je n'ai pas encore reçu de facture pour votre première enquête, dit-elle.

— J'ai été trop occupé pour faire le compte, mentit-il. Je ferai une facture groupée quand tout sera terminé.

Baissant la tête, il se remit à manger.

— Où se trouve ce lieu sûr où vous m'emmenez ?

Soulagé, il laissa échapper un long soupir silencieux.

— Tout près. J'aimerais que vous restiez chez ma mère aujourd'hui, pendant que je règle quelques questions.

Ses yeux mi-clos s'arrondirent sous le coup de la surprise.

— Chez *qui* ?

Il se contenta de préciser :

— Nous sommes samedi, vous ne travaillez pas et vous pourrez emmener Chou avec vous.

Il termina son petit pain. Elle le contemplait, un pli gravé entre les sourcils.

— A moins que vous ne soyez le fils d'une sainte, votre mère sera très contrariée de vous voir installer une inconnue chez elle pour la journée. Avec son chien !

— Non seulement cela ne l'ennuie pas, mais elle est contente de vous rencontrer.

— Parce que vous lui avez déjà demandé son avis ? Quand ?

— Hier soir, pendant que j'essayais de me mettre à l'aise sur votre canapé. Elle nous attend à 9 heures.

— David, je ne peux pas…

— Elle sait que vous êtes photographe professionnelle. Elle serait très intéressée de savoir comment vous vous y prenez pour photographier les oiseaux sans les effrayer. Bien sûr, si vous préférez ne pas dévoiler vos secrets…

Il sourit intérieurement, très content de lui. Telle qu'il la connaissait, elle serait incapable de refuser une invitation sous cette forme.

— Bien sûr que je veux bien ! Mais tout de même…

— Parfait, coupa-t-il. Alors c'est réglé.

Alice Chevallier était une belle femme solide aux yeux gris chaleureux, avec un air d'assurance tranquille. Souriante, elle s'avança pour prendre la main de Susan entre les siennes.

— Je suis si contente de vous rencontrer ! J'ai feuilleté tous mes anciens numéros de *True Nature*, vos photos sont incroyablement vivantes, on dirait que les sujets vont bondir hors de la page. Entrez ! Et qui est là ?

Elle lâcha la main de Susan pour se pencher vers Chou qui reniflait ses chaussures avec intérêt. David le présenta et elle s'écria :

— Le brave petit terrier qui alerte si bien sa maîtresse !

Elle lui gratta les oreilles et il roula instantanément sur le dos, éperdu de bonheur.

David avait donc raconté à sa mère tous les événements de la nuit ! Susan se demanda ce qu'il avait pu lui dire d'autre. Il s'en allait déjà, en lançant de la porte :

— Je reviendrai peut-être un peu tard…

— Prends ton temps, dit tranquillement sa mère en se redressant. Ne t'en fais pas pour nous.

Glissant son bras sous celui de Susan, elle l'entraîna à l'intérieur en verrouillant soigneusement la porte derrière elles.

La maison était spacieuse et claire, avec des sols dallés, des murs blancs et beaucoup de baies vitrées. Les meubles étaient grands, à la fois élégants et très confortables ; des tableaux très colorés égayaient les murs.

Susan s'immobilisa devant la paroi vitrée du living, attirée par la vue spectaculaire sur le bras de mer qu'on appelle le Hood Canal. Une allée bordée de fleurs printanières descendait en méandres vers la grève.

— Magnifique, s'écria-t-elle.

— Oui, j'adore cette vue, dit Alice. Venez par ici.

Elle la précéda dans la cuisine — qui avait également un mur vitré donnant sur le Canal — lui fit signe de s'asseoir et se dirigea vers le réfrigérateur. Chou se mit à explorer la pièce, humant ses effluves avec attention.

— Nous avons acheté ce terrain juste après notre première grosse enquête et nous avons construit la maison nous-mêmes, sur plusieurs années, entre deux bébés.

— Vous aussi, vous étiez détective ?

— Il m'arrive encore de me mêler d'une enquête, de temps en temps. Ma mère et moi avons fondé la firme, c'était nous, les Blanc. Ma mère était une femme extraordinaire, avec un cran à toute épreuve. Le père de David faisait partie de l'équipe du F.B.I. qui a enquêté sur sa mort.

— Votre mère a été tuée au cours d'une enquête ? s'écria Susan, choquée.

Alice hocha la tête.

— Après toutes ces années, je suis encore furieuse quand j'y pense. A l'époque, j'étais littéralement folle de rage.

Indécise, Susan regarda cette femme si sereine. Alice eut un petit rire.

— Notre première rencontre, avec Charles… c'était un coup de foudre à l'envers. Nous nous sommes hérissés mutuellement ! Il n'arrêtait pas de me dire de ne pas gêner *son* enquête, je lui conseillais de relire la Constitution. Nous nous sommes mariés six semaines plus tard et il a quitté le F.B.I. pour travailler avec moi. Comme il s'appelait Chevallier, nous avons changé le nom de la firme… Tenez, ajouta-t-elle en plaçant un milk-shake sur la table devant Susan.

— C'était vous ? s'écria celle-ci en reconnaissant l'arôme qui s'élevait du grand verre. David vous a… dit ?

— C'est ma recette, oui, confirma Alice en se perchant sur le tabouret voisin. Comment vont les nausées ?

— Je n'en ai plus. J'ai l'impression de revivre. David ne m'avait pas dit que la recette venait de vous.

— Et il ne m'a presque rien dit de vous, à part le fait que vous aviez besoin d'un lieu sûr pour la journée.

— Je n'aurais pas dû le laisser vous imposer ça.

Tranquillement, l'autre femme écarta son gilet pour montrer le holster fixé à sa ceinture. Les yeux de Susan se dilatèrent un peu en voyant l'arme à feu.

— Il ne m'a rien imposé. Vous êtes sous notre protection. David se fait du souci pour votre sécurité et je crois qu'il a raison.

Une fois de plus, Susan se sentait dépassée par les événements. Comme dans un rêve, la logique habituelle ne s'appliquait plus. Cette femme belle et sereine, avec son arme à feu et son air d'être prête à s'en servir au besoin… cela n'entrait pas dans sa vision habituelle du monde !

— Il m'a dit que vous aimeriez avoir des tuyaux pour photographier les oiseaux, murmura-t-elle.

Puis elle se mit à rire, un fou rire dans lequel se déversaient toutes les tensions, toutes les angoisses de ces dernières semaines. Alice rit avec elle. Le gilet s'était refermé, l'arme avait disparu.

— C'était plus simple que de dire : je vous présente ma mère, c'est celle qui a le Magnum. Je suis contente de voir que la vue de cette arme ne vous dérange pas. La dernière femme pour qui David a craqué était très fragile émotionnellement. Elle a failli s'évanouir en la voyant.

Le rire de Susan s'étrangla.

— La dernière… pour qui il a craqué ? répéta-t-elle, incrédule.

— Cela fait longtemps que David ne s'est pas intéressé à une femme. Il s'intéresse à vous.

Alice la regardait bien en face… Elle aurait tant aimé la croire, mais elle entendait encore la voix de David, juste après leur unique baiser : « cela ne se reproduira jamais plus ». Il n'était pas homme à prononcer de telles paroles en l'air.

— Pardonnez-moi de vous poser cette question, demanda la mère de David, mais… vous êtes toujours en deuil ?

Son regard s'était posé sur son alliance. Susan secoua la tête.

— C'était tout ce qui me restait de mon mari. J'étais prête à la retirer il y a quelque mois et puis… je me suis mise à rêver à lui.

Elle se tut, surprise d'en avoir tant dit. Même à Ellie, elle n'avait pas mentionné ces rêves ! C'était facile de parler à Alice, beaucoup trop facile même…

— Ces rêves, que pensez-vous qu'ils signifient ?

— Je ne sais pas, admit-elle.

Alice lui serra amicalement le bras.

— Vous finirez par y voir clair. Ce qui me plaît le plus dans vos photos, c'est votre façon de plonger au-delà de la surface des choses pour trouver leur vérité. Vous auriez fait une bonne détective.

Susan sentit qu'elle venait de recevoir un compliment de poids ; elle y puisa le courage d'aborder le sujet défendu :

— Alice, cette femme fragile pour qui il a craqué… que s'est-il passé ?

— Ce sera à lui de vous le dire. Entre-temps, nous avons toute la journée pour parler de votre grossesse. C'est si excitant ! Vous avez déjà commencé à parler au bébé ?

— Tout le temps, répondit-elle en retrouvant son sourire.

— Moi, quand j'attendais David, j'ai passé les neuf mois à chanter. J'avais décidé qu'il serait doué pour la musique.

— Et il l'est ?

— Il chante comme une casserole et il n'a pas la moindre oreille. Je vous montre l'album de famille ?

— Tout s'est bien passé ? demanda David quand il reparut, tard dans la soirée.

— Votre mère est absolument charmante, détendue et communicative, répliqua Susan. Vous êtes sûr que vous faites partie de la même famille ?

Il s'efforça de ne pas sourire.

— Elle ne semblait pas particulièrement surprise quand votre père n'est pas rentré pour le dîner. Ça arrive souvent ?

— Papa est en déplacement, je lui ai demandé de s'occuper d'une démarche pour une enquête.

— Une enquête que vous avez dû laisser de côté pour me servir de garde du corps, devina-t-elle.

— Une enquête que j'étais heureux de laisser de côté pour l'instant. La vôtre est bien plus intéressante. Je ne me sentais pas impliqué dans l'autre, mon père obtiendra de meilleurs résultats.

— Vous étiez sur mon affaire aujourd'hui ?

Il approuva de la tête, le regard fixé sur le rétroviseur pour s'assurer qu'ils n'étaient pas suivis.

— Je crois avoir découvert pourquoi Robert Ardmore tenait tant à ce que l'accident d'avion qui a tué sa fille ne figure pas aux informations. Lucy Norton, la pilote, emmenait Moly Ardmore Tishman et Steve Kemp à un week-end en amoureux quand l'avion s'est abattu.

— Molly Tishman et Steve Kemp étaient amants ? Comment l'avez-vous appris ?

— Jared a examiné le registre de l'auberge du bourg où Lucy Norton les emmenait. Steve Kemp leur avait réservé une seule chambre, en les inscrivant comme un couple marié.

— Voilà pourquoi Todd était troublé par le souvenir qu'allait laisser sa mère, murmura Susan au bout d'un instant. Elle avait un amant.

— Si les journalistes s'étaient emparés de l'histoire...

— Ardmore a aussi payé la famille de Steve Kemp pour qu'ils se taisent ?

— Il n'a sans doute pas eu à le faire : Steve Kemp était également marié. Je doute que sa femme ou son fils ait eu très envie de parler à la presse.

— Tout cela est certainement très dur pour Robert Ardmore mais... vous ne trouvez pas qu'il va un peu loin dans ses efforts pour cacher la vérité ?

— Pas si on prend en compte ce qu'il a dû subir de la part des médias dans un ancien scandale, dit David.

Il surveillait toujours attentivement son rétroviseur ; un vieux pick-up roulait dans leur sillage...

— Je n'ai pas souvenir d'un autre scandale…

— Vous deviez avoir douze ans. Il y a vingt ans, l'une des secrétaires d'Ardmore a affirmé qu'il l'avait plus ou moins violée et qu'elle était enceinte de lui. Les médias en ont fait leurs gros titres jusqu'à ce qu'un test sanguin prouve que le bébé n'était pas de lui, et que huit témoins confirment qu'il se trouvait en Europe au moment de la conception.

— Mais si on a prouvé qu'il n'avait rien fait…

Le vieux pick-up vira dans une rue secondaire. Les mains de David se détendirent sur le volant.

— Je pense qu'Ardmore voit cela autrement. Il y a vingt ans, il était innocent mais les journaux l'ont présenté comme un coupable. Les reporters l'ont harcelé, ils ont traqué sa famille en criant des questions insultantes et en cherchant à capter leurs réactions avec leurs caméras. Quand il a été innocenté, c'est à peine s'ils lui ont accordé trois lignes en dernière page.

Du coin de l'œil, il la vit secouer la tête, mécontente. Ils étaient arrivés. S'immobilisant devant un portail donnant sur une petite route isolée, il actionna une commande électronique. Les vantaux s'écartèrent, se refermèrent derrière eux ; ils roulèrent encore quatre cents mètres à travers bois et débouchèrent dans une clairière, au centre de laquelle se dressait une petite maison.

Une lumière extérieure s'alluma automatiquement à leur approche. Il coupa le contact, mit pied à terre et contourna le véhicule — il voulait ouvrir la portière de Susan, mais une fois de plus, elle descendit sans l'attendre. Immédiatement, deux grands labradors convergèrent vers elle en silence. Vite, elle claqua la portière pour empêcher Chou de sauter à terre, et se tint parfaitement immobile.

David se hâta de la rejoindre. Sur un geste de sa main, les chiens reculèrent.

— Ils ne vous feront pas de mal, dit-il. Ils connaissent la voiture et ils savent que ceux qui en descendent sont des amis. Ils sont juste curieux.

Hochant la tête, elle s'accroupit et tendit la main. Sur un hochement de tête de David, les deux chiens s'approchèrent, truffes tendues, queues battantes. Elle leur tapota l'épaule en demandant :

— Comment s'appellent-ils ?

— Galahad et Gauvain.

— Encore des Chevallier, sourit-elle.

Toujours coincé dans la cabine, Chou aboyait en sautant contre la vitre.

— Chou adore rencontrer d'autres chiens mais eux, qu'est-ce qu'ils vont penser de lui ?

— Faites-le sortir, vous verrez.

Comprenant qu'il n'y avait aucun danger, elle ouvrit la portière. Chou jaillit de la cabine dans un bond extravagant et se mit à bondir autour des labradors, qui se contentèrent de le renifler poliment.

Souriant, David se dirigea vers la maison en sortant ses clés. La porte ouverte, il alluma une lampe et composa rapidement un code sur le panneau de sécurité pour désactiver l'alarme. Elle le suivit et pénétra dans un grand living avec un plafond haut, un parquet de teck luisant, des murs ivoire et des vitrines de verre blanc. Un canapé et un fauteuil crème étaient placés de part et d'autre d'une grande table basse, également de verre. La cheminée était de marbre blanc et il n'y avait aucun tableau aux murs. C'était un espace ouvert et dépouillé, très simple.

— Qui habite ici ? demanda-t-elle à David qui rentrait derrière elle, sa valise à la main, les trois chiens sur ses talons.

— C'est moi, dit-il en refermant la porte derrière lui.

Elle se retourna, interloquée.

— C'est le lieu le plus sûr que je connaisse, expliqua-t-il. Le système d'alarme est ce qui se fait de mieux. Les chiens ne se contenteront pas de vous prévenir si un intrus se présente, ils seront dehors pour l'arrêter au besoin. S'ils n'y parviennent pas, je le ferai. Vous serez en sécurité ici. Je vais vous montrer votre chambre.

La chambre qu'il lui destinait était à l'étage. Elle avait le même beau parquet de teck, les mêmes murs ivoire. Dans la salle de bains attenante, elle trouva de grandes serviette émeraude et une baignoire habillée de pierre de lave blanche. Il posa sa valise sur le bord du lit blanc.

— La porte se verrouille de l'intérieur, dit-il.

— Si aucun intrus ne peut entrer dans la maison, dit-elle en le regardant bien en face, je n'ai pas besoin de verrouiller ma porte.

Il se contenta de hocher la tête :

— Les ingrédients pour votre milk-shake sont dans le réfrigérateur, pour demain matin. Je vais vous laisser vous installer. Bonne nuit.

Elle paressa longtemps dans un bain chaud. Quand elle enfila sa chemise de nuit, Chou dormait déjà au pied du lit. Tout en se brossant les cheveux, elle tomba en arrêt devant le miroir de la commode. Elle était parfaitement quelconque. Si elle se comparait à Ellie, si belle, éblouissante...

Alice pensait pourtant que David s'intéressait à elle. Elle ne cessait de penser à ces paroles, qui la rendaient à la fois euphorique et très triste. Cela aurait pu être extraordinaire, tous les deux. Ce serait si facile de craquer pour David, une partie d'elle était déjà conquise — mais lui ne voulait rien savoir. Il l'avait montré assez clairement !

De toute façon, elle ne se jetait pas à la tête des hommes. Elle n'était pas sa mère.

Il était plus de 23 heures et elle était très fatiguée après sa nuit écourtée. Elle se glissa dans le lit, éteignit la lampe de chevet et se blottit au creux de l'oreiller. Les draps sentaient le soleil, le lit était à la fois ferme et doux…

Impossible de s'endormir. Longtemps, elle se retourna sans parvenir à se détendre. Enfin, lassée de patienter, les yeux écarquillés dans la nuit, elle décida de descendre dans la cuisine préparer son milk-shake en prévision du matin.

Elle se leva, enfila son peignoir, noua la ceinture fermement autour de sa taille et se dirigea vers la porte, son Thermos à la main. Avec des précautions infinies, elle ouvrit sans bruit. Le couloir était éclairé par une veilleuse ; en face, la porte de David était close et elle ne voyait aucune lumière en dessous. Lui au moins parvenait à dormir ! Elle descendit à pas de loup en prenant soin de ne pas le déranger.

Ils étaient arrivés tard, elle n'avait rien visité. Une fois en bas des marches, elle se demanda où chercher la cuisine. Ouvrant une porte au hasard, elle chercha l'interrupteur à tâtons. Une rampe fluorescente s'alluma, lui révélant une salle de gym privée remplie d'engins bizarres. Voilà qui expliquait déjà la superbe forme physique de son hôte !

La porte suivante s'ouvrait sur une douillette petite bibliothèque. Fantastique ! pensa-t-elle. Un peu de lecture, voilà ce qu'il lui fallait pour l'aider à s'endormir. Elle s'approcha des étagères pour déchiffrer les titres ; *Psychothérapie*, *Précis d'évaluation psychologique*, *La Nature humaine selon Freud et Jung*… Cela ne correspondait pas du tout au genre de distraction qu'elle cherchait !

Un cadre était glissé entre deux gros tomes. Curieuse, elle posa son Thermos sur une table et le tira à elle. Il s'agissait d'un doctorat de psychologie, décerné quelques années plus tôt à David Alan Chevallier.

— C'est donc vous, le cambrioleur ?

Elle se retourna d'un bond. Sur le seuil, David rangeait une arme dans un holster bouclé à son épaule. Sous la mince lanière, son torse massif était nu, ses épaules luisaient faiblement à la lumière douce de la lampe. Le spectacle de cette étendue spectaculaire de peau et de muscles masculins ne fit rien pour ralentir son cœur emballé.

Avalant sa salive, elle s'obligea à lever les yeux jusqu'à son visage.

— Et c'est vous le psychologue. Voilà comment vous parvenez si bien à déchiffrer les gens et à prédire leur comportement.

Il vint vers elle, lui prit le diplôme des mains et le fourra à sa place entre les livres.

— J'étais psychologue, oui. Mais je n'ai jamais su prédire le comportement de qui que ce soit.

Elle le regarda, abasourdie par l'amertume de sa voix. Troublée, elle tendit la main, la posa sur son bras.

— David, qu'est-ce qui vous est arrivé ?

Ses muscles jouèrent sous ses doigts, elle vit sa mâchoire se crisper. Sentant qu'il supportait mal le contact de sa main, elle la retira.

— Dites-moi, David. Je vous en prie.

Il détourna la tête, fourra les mains dans les poches de son pantalon de survêtement noir. Plusieurs secondes passèrent. Quand il répondit enfin, sa voix était différente. Souffrante.

— Teresa et moi, nous étions thérapeutes, associés dans un cabinet qui marchait du feu de dieu. Elle avait été mariée à un violent et elle conseillait avec beaucoup de succès des femmes se trouvant dans la même situation. Elle changeait réellement leurs vies.

— Vous l'aimiez profondément, dit Susan avec conviction.

Il approuva de la tête.

— Un mois avant notre mariage, elle m'a avoué qu'elle revoyait son ex en cachette depuis quelques semaines. Qu'il avait changé, réussi à vaincre son problème. Il la suppliait de lui donner encore une chance… et elle voulait le faire.

— Mais… elle était fiancée avec vous, protesta Susan.

— Elle m'a dit qu'il était le seul qui puisse réellement l'aimer. Qu'elle n'avait jamais cessé de l'aimer.

— Elle n'avait jamais cessé d'aimer un homme qui la battait ? C'est assez difficile à admettre.

— Les femmes battues sont conditionnées à accepter l'inacceptable.

La colère et le chagrin faisaient trembler sa voix.

— En façade, Teresa était sûre d'elle, elle parlait avec autorité à ces femmes qu'elle aidait. Et moi, je n'avais jamais perçu la profondeur de la faille, je n'avais jamais compris à quel point elle doutait d'elle, et à quel point cela la rendait vulnérable.

Susan se souvint de ses propres complexes, si durs à surmonter, et hocha lentement la tête. Il reprit :

— Son ex jouait sur ce sentiment d'infériorité. Il l'a convaincue qu'il était le seul à pouvoir accepter ses défauts imaginaires.

— Mais… elle était thérapeute, elle conseillait d'autres femmes souffrant du même problème. Comment a-t-elle pu ne pas voir ce qu'il était en train de lui faire ?

— C'est facile de voir les erreurs des autres. Quand on est soi-même en train de se fourvoyer, c'est quasiment impossible.

Elle comprit qu'il parlait aussi de lui-même.

— J'ai essayé de lui rappeler que les hommes comme lui ne changeaient pas ; elle le répétait elle-même à chacun de ses séminaires. Je l'ai suppliée de réfléchir à ce qu'elle faisait. Elle m'a dit qu'elle avait confiance, tout serait différent cette fois. Elle m'a embrassé pour me dire adieu et elle est partie. Un mois plus tard, j'ai appris que son ex l'avait battue à mort avant de se suicider.

Elle contempla son profil, les lignes douloureuses gravées autour de sa bouche. Elle ressentait une tristesse affreuse.

— Teresa était trop blessée pour savoir ce qu'elle pensait, ou ce qu'elle ressentait. J'ai raté tous les indices qui auraient pu m'indiquer qui elle était vraiment. Elle cherchait tant à plaire, elle renonçait si facilement à son idée… Elle avait uniquement accepté de m'épouser parce qu'elle savait que je le voulais. Je ne l'ai jamais réellement… vue, elle. Je n'ai jamais su qui elle était.

Se retournant vers Susan, il assena :

— Voilà pour ma soi-disant expertise psychologique.

— Alors vous avez renoncé à être thérapeute et vous êtes devenu détective.

— J'ai pensé que ma formation pourrait au moins m'aider à retrouver des personnes disparues…

En voyant David pour la première fois, elle s'était demandé ce qui avait pu lui donner un tel regard. Voilà pourquoi il refusait de lui dire comment il était devenu détective privé… Jusqu'ici, il ne se sentait pas capable de lui parler d'une blessure aussi intime.

— Je n'ai jamais remis en cause cette décision, dit-il. Je me sentais en sécurité parce que, même si je commettais une erreur, personne n'aurait à le payer de sa vie. Mais maintenant, à cause de moi, votre vie est en danger.

Elle fit un pas vers lui, posa ses mains sur sa poitrine nue. A ce contact, il prit une respiration convulsive.

— David, dit-elle avec douceur, vous m'avez *sauvé* la vie.

Comme si elles agissaient malgré lui, ses mains à lui sortirent de ses poches, coururent le long de ses bras, se posèrent sur ses mains. Une avalanche de chaleur croula en elle.

— Susan, ne me regardez pas comme ça.

— Comme quoi ?

Elle savait exactement comment elle le regardait mais elle voulait l'entendre le dire.

— Comme si vous vouliez que…

Il laissa tomber ses mains sur ses épaules. Sous ses paumes, elle sentait le martèlement furieux de son cœur. Elle se demanda s'il se préparait à la repousser ou à l'attirer contre lui.

— Susan, je vous en prie, chuchota-t-il, torturé. Je vous ai donné ma promesse que je ne ferais rien.

Elle soutint son regard.

— Je n'ai jamais demandé cette promesse. Je n'en ai jamais voulu. Je n'ai aucune intention de vous y tenir.

Avec une exclamation étranglée, il la broya contre lui.

Susan reposait contre lui dans son lit immense. Il serra contre lui ce corps de femme si doux et sourit en respirant le parfum de sa peau.

Bien qu'il n'ait pas fait l'amour depuis trop longtemps, il s'était efforcé d'aller lentement — jusqu'à ce qu'elle précipite les choses. Elle le désirait aussi, elle ne voulait pas attendre ! Le frisson fabuleux de cette découverte courait encore dans ses veines.

Elle reposait, endormie, la tête sur sa poitrine, le souffle lent et régulier... encore plus vulnérable qu'au moment de la tentative d'enlèvement. Il effleura des lèvres la peau de son épaule nue et soupira doucement. Comment savoir s'il avait bien fait... comment cela pouvait-il n'être pas bien alors qu'elle semblait tellement à sa place dans ses bras ?

Il n'avait pas la réponse, mais il savait maintenant pourquoi il n'avait pu coucher avec Gabrielle en toute désinvolture, quelques semaines plus tôt. Il n'était pas un homme désinvolte. Voilà aussi pourquoi c'était si bon de faire l'amour avec Susan : il ne voulait pas seulement lui faire l'amour, il la voulait, elle, tout entière.

Il allait devoir faire très attention. Une fois déjà, aveuglé par le désir et la tendresse, il avait commis une erreur désastreuse avec une femme. Cette erreur, il ne la répéterait pas. Susan avait besoin de temps et d'espace pour gérer la situation dans laquelle elle se trouvait. Elle avait également besoin de se sentir en sécurité. Avant toute autre chose, il devait la protéger — de lui comme de tout le reste. Il ferait mieux de prendre ses distances.

Pas ce soir, pourtant. Ce soir, c'était impossible. Elle commençait à s'animer entre ses bras et il devait lui faire l'amour encore une fois. En douceur.

12.

Susan leva la tête des fourneaux en entendant David descendre. Il entra dans la cuisine, rasé de frais, les cheveux encore mouillés après sa douche, un jean sombre soulignant la longueur de ses jambes, un t-shirt blanc étiré en travers de sa large poitrine.

— Robert Ardmore veut te voir.

Encore sous le coup du spectacle qu'il présentait et des souvenirs exquis de leur nuit d'amour, elle ne saisit pas ses paroles.

— Pardon ? Ardmore, tu disais ?

Se glissant sur un tabouret devant le plan de travail, il la dévisagea quelques instants.

— Il est au courant de ton existence. Il a téléphoné au bureau hier soir et laissé un message sur le répondeur.

Elle fit glisser une omelette fourrée sur une assiette, la posa devant lui, coupa le gaz et versa du café dans sa tasse. Une compote de pommes encore tiède les attendait. En explorant la cuisine ce matin, elle avait trouvé le réfrigérateur et les placards remplis des mêmes provisions que chez elle — exactement les mêmes. Il avait fait cela pour elle !

— Est-ce que tu m'écoutes ? s'enquit-il.

Elle avait entendu, oui — mais après ce qu'ils venaient de partager cette nuit, chaque cellule de son corps était gonflée de joie, c'était très difficile de se concentrer sur quoi que ce soit d'autre. Bien sûr, il y avait Ardmore et ses manigances, mais elle aurait tant aimé parler d'autre chose !

— Comment est-il au courant ? demanda-t-elle.

— Je viens de le rappeler. Il admet avoir lancé McKinney sur mes traces, mais il affirme n'avoir rien à voir avec la tentative d'enlèvement. Il n'a rien dit de plus, à part pour répéter qu'il voulait te voir.

— Tu le crois ? Au sujet de l'enlèvement, je veux dire.

— Je ne sais pas. Il a avoué de lui-même qu'il était à l'origine de la filature, je lui donne des points pour ça.

Se perchant sur le tabouret voisin, elle trempa les lèvres dans son milk-shake. Robert Ardmore voulait la rencontrer — le petit employé de bureau qui s'était élevé avec une rapidité hallucinante pour devenir l'un des hommes les plus puissants de la région.

— Et toi, Susan, tu veux le voir ?

— S'il n'est pas au courant pour le bébé…

— Tu peux être sûre que si. S'il veut te voir, c'est parce qu'il sait que tu portes son arrière-petit-fils.

— Alors je vais devoir le rencontrer. Il faut que je lui dise que je n'attends rien de lui. Il a proposé un rendez-vous ?

— Aujourd'hui, chez lui, sur Falls Island — mais je ne sais pas… Ça m'inquiète de t'emmener là-bas.

Il n'avait pas encore touché à son petit déjeuner. Vu son solide appétit, c'était un symptôme grave.

— Pourquoi ? demanda-t-elle.

— Sa propriété est une forteresse. Une fois entrés là-dedans, nous ne ressortirons que s'il le veut bien.

— Tu ne crois tout de même pas…

— Je n'ai pas envie de prendre le moindre risque avec toi.

Il dit cela sans élever la voix mais avec une conviction absolue. Comme il prenait soin d'elle, comme elle se sentait protégée, chérie, aimée !

— Tu aimerais mieux qu'Ardmore vienne ici ? demanda-t-elle.

— Non. Il vaut mieux que personne à part ma famille ne sache que tu habites chez moi.

— Où, alors ? Chez moi ?

— Le mieux serait d'organiser une rencontre en terrain neutre. Chez Mélie, c'est fermé toute la journée le dimanche et le quartier devrait être tout à fait désert. Je vais appeler Mac et leur demander s'il veulent bien me prêter la salle.

Elle lui sourit.

— Dois-je comprendre que tu n'as plus peur que Mac nous prenne pour un couple ?

Elle cherchait seulement à le taquiner mais il ne rit pas. Bien au contraire, son visage se ferma.

— Susan, à propos d'hier soir… Il faut qu'on parle.

Elle se raidit. Il venait de prononcer la phrase fatidique, celle qui ressemblait à un couperet de guillotine. S'il m'annonce, pensa-t-elle, qu'il regrette de m'avoir fait l'amour à m'exploser le cœur, et pas moins de trois fois de suite, je jure que je lui lance mon tabouret à la tête.

— Je ne regrette pas ce qui s'est passé, dit-il. Dieu sait que je devrais mais je ne regrette rien.

Elle poussa un long soupir silencieux. Il baissa les yeux vers le repas qui refroidissait devant lui.

— En même temps, tu es dans une position particulièrement vulnérable. Mon boulot est de te protéger, pas de profiter de toi. Voilà pourquoi je ne peux pas permettre que ça se reproduise.

Elle sentit son cœur se serrer violemment. Ce qu'elle venait de lui offrir, il n'en voulait pas. Maintenant, elle n'avait plus que deux options : le laisser enfoncer le clou, ou prendre l'initiative et tenter de sauver un peu de sa dignité.

— Susan, disait-il, il faut que tu comprennes…

Elle se redressa, posa une main ferme sur son bras.

— Ecoute, hier soir, ce n'était pas une telle histoire. Je sais que je t'ai fait des avances, et tu as été adorable de… coopérer. En tout cas, maintenant, tu peux souffler. Je ne compte pas t'attaquer régulièrement.

Il la dévisageait, stupéfait. Elle se força à sourire.

— Maintenant, tu devrais manger avant que ce ne soit tout à fait froid. Excuse-moi, je vais appeler Chou. Il a dû terminer son jogging du matin.

Elle tourna les talons et s'éloigna vers la porte d'entrée. Non, elle ne pleurerait pas. Elle ne s'offrirait pas non plus le luxe de vitupérer ou de supplier, comme sa mère le faisait chaque fois qu'un homme refusait d'entrer dans son jeu. David ne lui avait rien promis. Hier soir, il lui avait confié un souvenir très intime, et elle s'était empressée de conclure qu'il voulait une relation intime avec elle. Elle se trompait.

Depuis le début, il s'efforçait de maintenir leur relation sur un plan professionnel, c'était elle qui ne cessait de franchir la frontière. Dorénavant, elle repasserait de l'autre côté et elle y resterait.

La limousine de Robert Ardmore se gara devant Chez Mélie à 15 heures 02 minutes. Quatre gardes du corps formèrent un écran protecteur autour d'une portière. Robert Ardmore mit pied à terre. C'était un vieil homme mince et droit, de petite stature, vêtu d'un complet gris impeccable. Voyant David debout devant l'entrée, il le salua d'un hochement de tête ; David répondit à son salut mais resta où il était.

Ardmore se pencha à l'intérieur de la limousine pour aider sa femme à descendre. Dès qu'elle fut près de lui, il fit un geste à l'un des gardes du corps ; l'homme ouvrit le coffre, en sortit un fauteuil roulant. Puis, à deux, ils soulevèrent un homme massif de l'intérieur de la limousine et l'installèrent dans le fauteuil.

David avait su que Vance Tishman, le père de Todd, assisterait à la rencontre, mais il apprenait seulement à l'instant que l'homme était infirme.

Ardmore et sa femme se dirigèrent vers lui, encadrés de trois des gardes du corps. Le quatrième poussait le fauteuil roulant dans lequel Tishman était assis, légèrement tassé sur lui-même. Son visage large arborait un sourire vague ; ses lunettes épaisses avaient glissé sur son nez.

— Un seul des gardes de corps pourra entrer à l'intérieur, dit-il quand ils se trouvèrent devant lui.

Ardmore braqua sur lui ses yeux froids, incolores.

— Ce manque de confiance est intolérable. Pour quel genre d'homme me prenez-vous ?

— Je n'ai aucune opinion sur la question, repartit-il calmement. Posez-vous seulement une question : si elle était sous votre protection, que feriez-vous ?

Ardmore le fixa encore quelques instants, puis il se retourna vers l'homme qui poussait le fauteuil.

— Vous, accompagnez-nous. Les autres resteront dehors.

David ouvrit la porte du restaurant et s'écarta avec courtoisie pour laisser entrer le petit groupe, accompagné de l'unique garde du corps.

A l'intérieur, Susan était installée à une table, Alice auprès d'elle. Les trois frères de David étaient présents, plantés au centre de trois cloisons. Ardmore eut une grimace de contrariété en les voyant.

— Voulez-vous que je vous présente ? proposa David.

— Ce ne sera pas nécessaire. Mlle McKinney m'a dressé un dossier sur chacun d'entre vous.

Cela, David n'en doutait pas ! Après sa visite explosive dans ses bureaux, elle avait dû téléphoner immédiatement à Ardmore. Il était de plus en plus satisfait d'avoir fait cette démarche.

Le petit groupe atteignit la table de Susan. Il écarta une chaise à l'intention de Nancy Ardmore, son mari s'installa à côté d'elle, le garde du corps plaça le fauteuil roulant dans l'espace resté libre. Se plantant près de Susan, David fit les présentations ; Vance Tishman fut le seul à se pencher en avant pour offrir sa main à la jeune femme.

— Heureux de vous rencontrer, dit-il d'une voix un peu asthmatique.

— Merci, dit Susan en serrant cette main avec un sourire.

Alice se mit sur pied.

— Vous désirez vous parler en privé. Je vais vous laisser.

Elle serra amicalement l'épaule de Susan avant d'aller se positionner près de son fils Jack.

— Mademoiselle Carter, commença Robert Ardmore d'une voix brève, je suis au courant de votre rencontre avec mon petit-fils.

— Comment l'avez-vous su ?

Elle posa cette question calmement, presque amicalement. Le visage de Nancy Ardmore s'anima tout à coup. Se penchant en avant, elle expliqua :

— Il vous a écrit, Susan. Nous étions si surpris en trouvant la lettre. Bien sûr, il ne s'adressait à vous que par votre prénom et pour commencer, nous ne…

— Nancy, je t'en prie, interrompit son mari.

— Oui, bien sûr, murmura-t-elle en se redressant sur son siège.

— De quelle lettre parlez-vous, madame Ardmore ? demanda Susan sans se préoccuper de lui.

— Avant que nous parlions de la lettre ou de quoi que ce soit d'autre, reprit Ardmore sans la moindre chaleur, vous devez savoir que mon petit-fils a eu un grave accident peu de temps après vous avoir rencontrée. Il est décédé.

— Oh, soupira Susan.

Nancy Ardmore inclina la tête, se tamponna discrètement les yeux. Avec douceur, Susan posa la main sur la sienne.

— Je suis désolée. Vous devez avoir beaucoup de chagrin.

La vieille dame releva la tête.

— Merci, ma chère. Je vois pourquoi Todd s'intéressait tant à vous. Je sais que vous ne vous êtes pas bien connus mais…

— Nancy, je t'en prie, coupa de nouveau Ardmore.

Sa femme lui lança un regard frustré mais s'abstint de tout commentaire.

— Mademoiselle Carter, reprit Ardmore, je dois vous parler clairement. J'ai appris que vous étiez enceinte. Mon petit-fils était-il le père de cet enfant ?

— Oui, mais vous ne devez avoir aucune inquiétude, je n'ai pas l'intention de vous demander quoi que ce soit. Il est inutile que quiconque en dehors de cette pièce n'apprenne qu'il était le père.

Ardmore la considéra, les sourcils froncés.

— Est-ce que vous alliez seulement nous mettre au courant ?

— En toute franchise, monsieur Ardmore, non. Comme vient de le dire Mme Ardmore, je n'ai pas bien connu Todd. Le choix que je fais en gardant ce bébé est...

Cette fois, ce fut Tishman qui l'interrompit :

— Vous allez le garder ? Quel soulagement ! Depuis que j'ai appris que mon fils laissait derrière lui cette surprise...

— Vance ! explosa le vieil Ardmore. Je tiens à ce qu'on me laisse parler !

— Oui, oui, dit l'autre homme en agitant la main dans un geste d'excuse. Désolé.

— Mademoiselle Carter, reprit durement Ardmore en se retournant vers elle. Nous sommes tous heureux d'apprendre votre décision de garder ce bébé. Mais cet enfant n'est pas uniquement le vôtre. Il est également *mon* arrière-petit-enfant.

Susan soutint quelques instants le regard intense du vieil homme, puis elle dit :

— Si c'est comme cela que vous voyez les choses, monsieur Ardmore…

Puis elle lui sourit. La tension du vieil homme se relâcha, il se renversa contre le dossier de son siège.

— Mon petit-fils a commis de graves erreurs au cours de sa vie, mademoiselle Carter. Je suis heureux de voir que vous n'étiez pas l'une d'entre elles.

— Susan me dit qu'elle a accepté l'invitation d'Ardmore, elle dîne chez eux mardi, dit Charles en rejoignant David devant la cheminée après un dîner en famille.

David se retourna vers son père.

— Le personnel du shérif au grand complet sait où elle va ce soir-là, et j'y serai avec elle.

— Tu as besoin d'un coup de main pour assurer sa sécurité d'ici là ?

— Merci, je crois que ça ira. Au bureau, elle est entourée de collègues, je fais les trajets avec elle… Mon seul souci, c'est quand elle part dans la nature prendre ses photos. Jack vient de boucler son affaire, il a proposé de la couvrir si je suis pris avec Jared pour l'enquête.

— C'est une très jolie fille, opina Charles avec un petit sourire. Tu as dû être content d'apprendre qu'elle n'était pas mariée.

— Oui, bien sûr. Alors, tu as du nouveau au sujet de l'autre enquête ? Le frère disparu ?

— Ne m'en parle, pas, c'est l'impasse.

Il se lança dans le récit de ses dernières démarches. David hochait attentivement la tête tout en sirotant son dernier verre de vin. En fait, il n'entendait pas un mot. Du coin de l'œil, il surveillait Susan qui riait, amusée par une plaisanterie de Jack. Depuis leur retour de Chez Mélie, son frère la monopolisait. Il s'était assis près d'elle à table et n'avait cessé de lui raconter ses anecdotes du monde du spectacle. Maintenant, ils étaient ensemble sur le canapé, Chou blotti entre eux. Chaque fois qu'il la faisait rire, la main de David se crispait sur son verre.

« Ecoute, hier soir, ce n'était pas une telle histoire », avait-elle dit. Elle semblait tout à fait sincère. Au fond, il devrait être soulagé : c'était exactement la réaction qui lui permettrait de reprendre ses distances. Mais cette désinvolture avec laquelle elle l'écartait était insupportable, il ne parvenait pas à l'admettre. Il aurait juré que ce temps passé ensemble avait représenté quelque chose de spécial, pour elle comme pour lui.

Il secoua la tête. Trente-cinq ans, des diplômes en science du comportement et il n'avait toujours aucune idée de rien quand il s'agissait des femmes.

— David ?

Il sursauta. Son père le regardait, attendant visiblement une réponse de sa part.

— Désolé, soupira-t-il en posant son verre encore à moitié plein sur la cheminée. Je n'ai pas beaucoup dormi ces derniers temps et demain sera encore une longue journée. Il serait temps que j'arrache Susan au charme douteux de Jack pour rentrer à la maison.

— Jared s'est assuré que personne ne parlerait de la tentative d'enlèvement, dit-il à Susan sur le trajet du retour. Pour l'instant, il vaut mieux que la presse ne sache rien. De ton côté, n'en parle pas à tes collègues ou connaissances.

— D'accord.

Il sortit un paquet de sous le tableau de bord.

— Voici un portable. L'étui se fixe à la ceinture, tu dois l'avoir sur toi à tout moment. Tu n'entendras pas de sonnerie mais il vibrera si on t'appelle. Ne donne le numéro à personne. J'ai enregistré mon propre numéro de portable dans sa mémoire ; pour m'avoir, tu n'as qu'à presser le un.

— D'accord, répéta-t-elle en prenant le paquet.

— Si tes amis ou collègues me voient avec toi quand je t'accompagne au journal ou quand je viens te reprendre, je suis un cousin lointain qui vient de reprendre contact.

— D'accord.

— Pense à te préparer un sandwich ou une salade à emmener au travail. Comme ça, tu n'auras pas à sortir déjeuner.

— D'accord.

Ne savait-elle plus rien lui dire d'autre ? C'est tout juste si elle lui avait adressé la parole de la journée. Tout d'abord, il avait attribué ce mutisme inhabituel à son inquiétude avant la rencontre avec les Ardmore — mais elle s'était montrée animée par la suite, avec ses parents et ses frères. Surtout avec Jack. Il chercha un moyen de relancer la conversation.

— Alors, ton bébé a trouvé une famille, aujourd'hui, dit-il en souriant.

— Oui, dit-elle en caressant Chou, endormi sur ses genoux.

Il attendit quelques instants et comprit qu'elle ne dirait rien de plus.

— Quelque chose ne va pas ? demanda-t-il.

— Non.

— Susan, ce n'est pas possible, tu ne peux pas être aussi blasée au sujet de ce qui s'est passé.

— Je réserve mon enthousiasme pour quand je les connaîtrai mieux. Ce n'est pas toujours une bonne chose d'avoir une famille.

Il sut qu'elle ne parlait pas de son père puisqu'elle ne l'avait jamais rencontré.

— Quel genre de femme était ta mère ? demanda-t-il.

— Pourquoi veux-tu le savoir ?

Cette réaction distante l'agaça.

— Tu devrais bien savoir maintenant que tu peux...

Il s'interrompit. Il avait failli dire qu'elle devrait savoir qu'elle pouvait lui confier des informations personnelles, mais en fait, elle n'avait aucune raison de se confier à lui. Ces informations personnelles ne lui serviraient à rien, il n'était que son garde du corps.

Il respira à fond pour tenter de se calmer.

— Je n'ai aucune raison de savoir, Susan, et rien ne t'oblige à me le dire. Mais je serais content que tu m'en parles.

Il y eut un long moment de silence. Quand elle répondit enfin, sa voix était aussi neutre que si elle récitait l'annuaire téléphonique.

— Ma grand-mère avait quarante-six ans et mon grand-père cinquante quand ma mère est née. Ils étaient si fous de joie qu'ils n'ont su que faire pour lui montrer leur amour. En fait, ils l'ont gâtée pourrie. Quand elle m'a eue, à dix-neuf ans, elle n'en faisait qu'à sa tête. Ils ont dû la soudoyer pour qu'elle s'occupe de moi. Une seule chose l'intéressait : courir les bars pour rencontrer des hommes. Quand je rentrais de l'école, je ne savais jamais quel nouveau crétin je trouverais installé chez nous.

Il fit la grimace.

— Ils t'ont fait du mal ?

— Je courais trop vite. Tu m'as demandé un jour quand je me suis intéressée à la nature. J'avais huit ans. Pour éviter un ivrogne immonde que ma mère venait de ramener à la maison, j'ai grimpé jusqu'à la cabane que mon grand-père m'avait construite dans un arbre du jardin.

Elle se tut un instant. Quand elle se remit à parler, sa voix avait changé.

— Je n'ai pas pu m'endormir. Vers le milieu de la nuit, j'ai vu une maman chouette qui nichait dans une fissure du tronc en train de nourrir ses petits. Elle était si douce, si protectrice... Cette nuit-là, j'ai décidé d'apprendre tout ce que je pourrais sur les animaux.

Ils devaient lui sembler tellement plus humains que les humains qui l'entouraient...

— Qu'est-il arrivé à ta mère ?

Elle reprit sa voix calme et neutre pour répondre :

— L'alcool l'a tuée à l'âge de quarante-quatre ans.

— Tu as réussi à lui pardonner ?

— Bien sûr. Si je ne lui avais pas pardonné, j'aurais eu encore plus mal.

Elle était encore plus intelligente qu'il ne l'avait imaginé !

— Je suis désolé, Susan.

— Il ne faut pas. Mon enfance n'a pas été idéale, mais j'ai appris à me débrouiller. Tiens, j'y pense : je vais devoir t'emprunter un réveil si je ne veux pas être en retard au journal demain.

Il comprit le message : elle comptait dormir dans son propre lit. « Ecoute, hier soir, ce n'était pas une telle histoire... » — quand elle lui avait dit cela, il l'avait crue. Maintenant, après le récit de son enfance, il commençait à se poser des questions. A l'âge de huit ans, elle savait déjà courir plus vite que ceux qui pouvaient la blesser. Cette façon désinvolte de le repousser, était-ce encore une stratégie de fuite ?

Susan vit d'abord la fumée, des colonnes de fumée huileuse dans le ciel gris. Sa première pensée fut de se sentir outrée qu'un voisin brûle des ordures si près de la maison. Elle voulut rentrer au plus vite pour fermer les fenêtres : si ces fumées entraient dans les pièces, les toxines mettraient des heures à se dissiper.

Puis elle tourna l'angle de la rue et vit les camions des pompiers. La fumée ne provenait pas d'un tas d'ordures mais des décombres qui avaient été sa maison. Elle freina violemment, bondit à terre et se mit à courir. Une odeur écœurante assaillit ses narines ; poumons en feu, elle se précipita vers une brèche…

Des mains la saisirent, la tirèrent en arrière. Des mains qui sentaient la fumée, les mains d'hommes qu'elle connaissait et qui connaissaient Paul. Des hommes qui venaient régulièrement jouer au poker avec lui dans cette maison qui n'était plus que des pans de murs noircis. Puis elle vit un visage familier, noirci de fumée, aux yeux très tristes.

— Il n'est plus avec nous, Susan, dit le chef de Paul.

Paul… parti ?

— Je suis désolé. Il a dû s'endormir sur le canapé. C'est là qu'on l'a trouvé.

Sur le canapé, là où elle l'avait laissé en sortant. Paul, parti ? Mon Dieu !

— Le tuyau de ventilation du sèche-linge a pris feu, fulmina le meilleur ami de Paul. Un tuyau en plastique…

Elle le vit jeter violemment son casque sur le bitume.

— Je croyais qu'il avait changé cette saleté depuis des mois, renchérit un autre habitué des soirées de poker en crachant de la suie. Il n'avait même pas mis de piles neuves dans la foutue alarme d'incendie. Je ne peux pas croire ça, je ne peux pas le croire.

Je ne peux pas le croire. Je ne peux pas le croire…

— Pas maintenant, vous autres, coupa le chef.

La sirène du plus grand camion se mit tout à coup à hurler. Le chef cria :

— J'emmène Susan à la caserne. Susan, est-ce qu'il y a quelqu'un que je puisse appeler pour te tenir compagnie ? Susan ?

Elle ne pouvait pas penser, ne pouvait rien entendre. Cette fichue sirène l'assourdissait…

Elle se réveilla. La sonnerie qui lui vrillait les oreilles provenait du réveil. Elle abattit la main sur le bouton ; près d'elle, Chou laissa échapper un soupir de soulagement. Ses propres nerfs vrombissaient toujours, tendus à se rompre. Une douleur battait dans ses tempes, son estomac se retournait. Oh, non, elle ne voulait pas être malade ce matin, pas chez David — pas après cette nuit misérable où il lui avait tant manqué.

Elle saisit le Thermos sur la table de chevet, se hâta de se verser du milk-shake et, adossée contre la tête du lit, but un peu du liquide apaisant. Elle aurait aimé ne penser à rien, faisait un effort terrible pour ne penser à rien — mais son rêve refusait de s'effacer.

C'était la première fois qu'elle rêvait au jour de sa mort. Elle avait oublié tant de détails ! Un choc peut effacer beaucoup de souvenirs, elle le savait ; il avait fallu ce rêve pour ramener les détails à la surface — comme les autres rêves ramenaient certains détails de leur vie commune.

On frappa un coup léger à la porte.

— Je suis réveillée, dit-elle très vite. Le réveil a fonctionné.

— Je peux entrer te parler ?

— Ce n'est pas nécessaire. Je descends tout de suite.

Il y eut une pause, puis il répondit.

— Bon. Très bien.

Elle l'entendit s'éloigner. Curieux, il semblait déçu. Se rendait-il compte de ce qu'il proposait ? Il serait peut-être capable de rester de marbre en bavardant avec une femme à qui il avait fait l'amour alors qu'elle était encore dans son lit — mais pas elle. S'il voulait discuter avec elle, il attendrait qu'ils soient tous deux complètement vêtus.

Elle s'était donnée à lui de tout son cœur. Puisqu'il ne voulait pas d'elle, elle refusait toute intimité avec lui. Elle refusait de devoir lutter pour cacher ce qu'elle ressentait.

— Warren Sterne ? Je suis David Chevallier.

Sterne leva les yeux de son écran d'ordinateur. C'était un gros garçon avec un buisson de cheveux noirs, de grosses lunettes, un grand corps mou.

— C'est vous qui m'avez appelé ? Approchez une chaise.

David obéit, se frayant un chemin dans les sachets de chips vide et les emballages de bonbons qui jonchaient le sol. Le siège de la *start-up* n'était qu'une petite pièce miteuse dans un bourg de la côte mais d'après ses informations, Sterne ferait plus de trois millions de dollars de bénéfices pour l'année fiscale. Il n'avait même pas trente ans.

— Vous avez dit au téléphone que vous vouliez discuter avec moi, dit ce dernier en déballant une barre de chocolat. J'ai déjà tous les investisseurs que je peux suivre mais si vous voulez me laisser votre carte…

— Todd Tishman a eu un accident grave il y a deux mois.

Le gros garçon interrompit son geste, laissant choir le chocolat sur son bureau.

— Ah. Voilà pourquoi je n'ai plus de nouvelles. Je pensais qu'il était en rogne.

Puis, saisissant un papier et un stylo, il demanda :

— Il est où ?

— Il est mort il y a quelques jours.

Warren le fixa quelques instants en silence, puis jeta violemment son stylo. Faisant pivoter son siège vers le mur, il se mit à jurer à mi-voix. David attendit. La plupart des femmes évacuent leur chagrin en pleurant, la plupart des hommes choisissent la colère…

— Quand lui avez-vous parlé pour la dernière fois ? demanda-t-il quand son vis-à-vis se tut enfin.

Sterne fit un geste vers son écran.

— On communiquait surtout par e-mail…

— Il envoyait ses courriers de chez lui ?

— Il fallait bien. Un jour, Tishman a piqué son journal intime dans son bureau — sur l'ordre d'Ardmore, bien sûr. Quand Todd a surpris son grand-père en train de le lire, le vieux a dit qu'il cherchait seulement à mieux le connaître. Sale fouineur. Todd a détruit le journal, il n'en a jamais recommencé un autre. Il cachait même son ordinateur.

Effectivement, David ne se souvenait pas d'avoir vu d'ordinateur chez Todd. Remisé dans un tiroir peut-être ? Il poserait la question aux Ardmore mardi.

— Il a planté sa voiture ? demanda Warren.

— Non, c'était un accident au labo.

— Il avait horreur de ce fichu labo. Il n'avait qu'une hâte : ficher le camp. Ardmore a fait pression pour qu'il vienne travailler là-bas, il lui a filé l'appartement, la voiture, mais c'était pour le contrôler. Même sa mère a essayé de le mettre en garde.

— Sa mère aurait voulu le voir quitter les industries Ardmore ?

— Elle savait que le vieux manipulait tout son monde. Il lui avait gâché la vie en l'obligeant à épouser Tishman. Juste au moment où elle allait enfin plaquer ce fumier et avoir sa chance avec le *vrai* papa de Todd, ils se tuent en avion. Man, la vie, c'est vraiment de la m...

David se redressa brusquement sur son siège.

— Steve Kemp était le père biologique de Todd ?

Warren se retourna vers lui, l'air horrifié.

— Pourquoi est-ce que vous posez toutes ces questions ? Vous êtes qui, en fait ?

David aurait aimé en apprendre davantage avant qu'on ne lui demande de s'identifier, mais il répondit sans hésiter :

— Je suis détective privé.

— Ardmore ne vous a pas envoyé. Ou Tishman. Ça ne leur viendrait pas à l'esprit de me mettre au courant, pour Todd.

— Pourquoi pensez-vous ça ?

— J'ai tourné le dos à mon vieux et je me suis débrouillé tout seul. Ils avaient peur que Todd en fasse autant. Il parlait de venir travailler avec moi.

— Pourquoi ne l'a-t-il pas fait ?

— Il pensait pouvoir faire évoluer les choses dans la compagnie de son grand-père. Je savais, moi, qu'il n'arriverait jamais à convaincre ces fumiers d'arrêter de polluer la planète. La seule chose qui les intéresse, c'est le fric. La seule qui tenait vraiment à Todd, c'était sa mère — et il a fallu qu'elle claque.

— Au moins, il vous avait, vous.

Les énormes épaules de Warren se tassèrent.

— Oui, il m'avait, moi. Son meilleur pote. Et je lui ai dit qu'il n'était qu'un con.

— Pourquoi ? demanda David avec douceur.

— Il m'a téléphoné pour me dire qu'il craquait pour une fille avec qui il avait passé la nuit. Une seule nuit ! Todd ne connaissait rien, mais rien aux femmes. Je lui ai dit qu'elle en avait juste après le fric de son grand-père. Je lui ai dit qu'il serait un con de croire autre chose. Il m'a dit d'aller me faire foutre et il a raccroché. C'est la dernière chose qu'on s'est dit. La toute dernière.

Todd était donc amoureux de Susan. Cela, David pouvait le comprendre. Ce qu'il comprenait moins, c'était pourquoi il ne s'était pas trouvé là quand elle avait ouvert les yeux le lendemain matin.

— Ecoutez, j'apprécie que vous soyez venu me prévenir, pour Todd, mais je n'ai plus très envie de parler.

David sortit une carte de sa poche.

— Si jamais vous avez envie de me dire autre chose, je serai à ce numéro.

Warren prit la carte. Il la contemplait toujours quand David sortit.

Susan entra dans la salle du personnel, meublée d'une machine à café et de quelques sièges. Assise dans un coin, Ellie pleurait en sourdine. Atterrée, elle se hâta de la rejoindre.

— Qu'est-ce qui t'arrive ?

— Il est parti, sanglota son amie. Il a quitté le journal et il m'a quittée, moi.

Avec un soupir, Susan se pencha pour la serrer contre elle.

— Tu veux que je te fasse un *espresso* ?

Ellie secoua la tête.

— J'en ai déjà bu trois ce matin. Une goutte de caféine de plus et je sauterai au plafond.

— Alors, raconte-moi pour ce petit fumier, murmura Susan en s'asseyant près d'elle.

— Quelqu'un pourrait entrer.

— Pas dans l'immédiat, non. Tout le monde est dans le bureau de Greg à attendre son retour de réunion. Je te cherchais pour que tu viennes crier « Surprise ! » avec nous.

— Surprise ? Ah, oui. Son anniversaire. J'avais oublié.

— Ils ne remarqueront pas notre absence. Alors, Skip : pourquoi est-il parti ?

— Son oncle lui a proposé un job sur son ranch. Il a accepté depuis une semaine, mais il a attendu hier soir pour me dire qu'il part lundi pour le Montana. Tu peux le croire, ça ? Après m'avoir juré qu'il m'aimait, il se taille à la première occasion pour s'occuper d'un troupeau de vaches.

— Il mérite d'être enfoui dans la bouse — et sur un ranch au Montana, c'est exactement ce qui lui arrivera.

Ellie poussa un profond soupir.

— On ne s'est pas connus très longtemps. Je ne sais pas pourquoi ça fait si mal.

— Les sentiments, ça se complique vite.

Elle parlait d'expérience — une expérience récente. Elle qui suivait les déboires d'Ellie avec un sentiment de supériorité, elle qui avait toujours supposé que rien de semblable ne pourrait lui arriver... Elle ne se sentait plus aussi invulnérable.

— Je t'ai téléphoné trois fois cette nuit, Suz'.

— Désolée. J'étais avec un... cousin lointain que j'ai croisé récemment. Barry s'est occupé de toi ?

— Il ne m'a pas du tout aidée. Il m'a dit que j'étais stupide de pleurer, qu'il y avait plein de mecs qui me traiteraient correctement mais que j'étais trop crétine pour les voir. Ensuite, il est parti en claquant la porte. A croire que c'est lui qu'on venait de plaquer.

— Il s'est peut-être énervé parce qu'il est un de ces types qui te traiteraient correctement.

Ellie ouvrit de grands yeux.

— Barry ? Non !

— El', juste avant de partir pour ma séance photo l'autre jour, j'ai filtré un des appels de Barry. Tu sais qu'on les faisait transiter par mon poste ? C'était son avocat qui le prévenait que son ex n'était même jamais arrivée dans notre Etat. La Psychose a rencontré un type en route et ils se sont mariés à Las Vegas. Elle est son problème maintenant... et Barry est au courant depuis au moins dix jours.

— Il n'a jamais dit un mot...

— S'il l'avait fait, il perdait son prétexte pour camper chez toi et court-circuiter ta romance avec Skip.

— Non, je ne peux pas croire qu'il ferait ça. Je sais quand je plais à un homme.

— Il n'ose peut-être pas te le montrer de peur de se faire rembarrer.

— Enfin, il n'est pas franchement mon genre !

Ça, c'était vraiment dommage. Barry saurait apprécier Ellie, la traiter avec tendresse et respect — mais cela ne servirait à rien de le lui dire. Il n'existe aucun argument qui puisse convaincre une femme de tomber amoureuse.

— C'est quoi, ton genre, El' ?

— Oh, il suffit que ça marche sur ses membres postérieurs et que ça ait des pouces opposables… Je ne sais plus. J'ai trente-trois ans, j'ai eu au moins autant d'histoires d'amour et pas une seule n'a bien tourné. Tu n'es pas dans l'arène, Suz', tu n'as aucune idée des vers de vase qui passent pour des hommes de nos jours. Il ne reste plus de garçons comme Paul.

— Paul était loin d'être parfait.

— C'est ça, ironisa Ellie. Il était seulement beau, intelligent, courageux, tendre…

— Et complètement tête en l'air, explosa Susan.

Ellie la fixa, bouche bée.

— Paul m'a forcée à monter sur des montagnes russes qui m'ont rendue malade tout le reste de la journée. Il a absolument voulu qu'on fasse l'amour dans un endroit public, où on allait forcément être surpris. A cause de lui, j'ai failli faire une insolation le premier jour de notre lune de miel. Il m'a fêlé une côte en me roulant dans une tranchée boueuse qu'il creusait dans le jardin. Il ne se préoccupait absolument pas de ma sécurité — ou de la sienne.

— Mais enfin, tu as toujours dit…

— Qu'il était parfait. Je sais. Mais ce n'était pas vrai. Paul était un pompier qui connaissait d'expérience les dangers du gainage plastique pour les tuyaux d'aération des sèche-linge, mais il n'a jamais remplacé le nôtre avec un matériau correct. Il ne s'est même pas donné la peine de vérifier les piles de nos détecteurs de fumée. Il aurait pu éviter sa propre mort mais il ne l'a pas fait. Par négligence !

Elle tremblait de rage, les larmes ruisselaient sur son visage. Ellie la prit dans ses bras et la berça de longues minutes, jusqu'à ce qu'elle parvienne à se reprendre.

— Susan, je suis tellement désolée. Je ne me suis jamais doutée… Pourquoi est-ce que tu ne m'as jamais dit ?

Maladroitement, Susan sortit un mouchoir en papier de sa poche, se tamponna les yeux.

— Je ne savais pas.

— Comment ?

— Quand Paul est mort, je ne pouvais penser qu'à ses bons côtés. J'ai porté le deuil de ce Paul parfait. Je devais le faire, n'importe quelle autre attitude m'aurait fait l'effet d'un manque de cœur, un manque de loyauté monstrueux. Je ne pouvais pas admettre que j'étais en colère, mais sa négligence lui a coûté la vie.

— Il n'était plus là et tu voulais te souvenir de lui avec amour, murmura Ellie.

— Mais au fond, je savais la vérité. Je me suis mise à rêver à ses imprudences. Sans comprendre pourquoi…

Ellie l'embrassa avec gravité.

— Et tout ce temps, je croyais que tu avais connu le parfait amour. Au fond, il n'y a pas de parfait amour.

— Sans doute, puisqu'il n'y a pas de gens parfaits.

— Bien dit.

Ellie s'écarta un peu pour mieux examiner son visage.

— Tu te rends compte que c'est la première fois que je te vois pleurer ?

— Je ne sais pas ce qui m'arrive, je ne tiens plus le coup.

— Je suis contente, Suz'. Tout le monde a besoin d'une bonne crise de larmes de temps en temps.

Elle était stupéfaite de devoir l'admettre, mais Ellie avait raison. C'était réellement salutaire de pleurer, et d'exprimer sa colère contre Paul. Cela lui faisait un bien fou !

— Tu es partante pour une part du gâteau d'anniversaire de Greg ? demanda Ellie.

Baissant les yeux sur sa main gauche, elle s'entendit répondre :

— Dès que j'aurai retiré cette alliance.

13.

Au lieu de contacter David sur son portable, Susan choisit de téléphoner à la firme et David apprit par Harry qu'elle terminerait plus tard ce soir-là à cause d'une réunion.

Il l'attendait dans le foyer quand elle émergea de l'ascenseur. Il la vit dire gaiement bonsoir à ses collègues, mais dès qu'elle le vit, son sourire s'effaça. Tout de suite, il nota que l'alliance n'était plus à son doigt. Il aurait aimé savoir pourquoi mais leurs rapports étaient devenus si tendus qu'il ne savait comment aborder le sujet.

Ils coururent sous la pluie jusqu'à sa voiture ; elle ne sembla même pas voir la main qu'il lui tendait pour l'aider à monter. A chaque instant, elle se retirait plus loin de lui. Elle ne lui posait plus de questions sur l'enquête, ne lui parlait plus de rien.

— Nous allons sortir, ce soir, s'entendit-il dire tout à coup.

Dès que les mots furent prononcés, il sut exactement où ils devaient dîner et pourquoi il voulait y aller.

— Je dois rentrer nourrir Chou.

— J'ai laissé des doubles rations de croquettes pour tout le monde ce matin. Il a dû passer toute la journée à jouer avec mes chiens. On lui rapportera du steak dans un *doggie bag.*

— Je n'ai pas envie de sortir.

— Moi, si.

Comprenant sans doute qu'elle ne le ferait pas changer d'avis, elle n'ajouta rien de plus. Il se sentit encore plus mal.

Le restaurant dans lequel il l'emmena n'avait que trois atouts. Il y avait toujours une table disponible, le pianiste jouait des slows, et la piste de danse était sombre et discrète. Dès qu'ils eurent commandé, il lui saisit la main et, sans tenir compte de ses protestations, l'entraîna parmi les danseurs.

Il ne voyait pas d'autre moyen de s'approcher d'elle. Une fois le lien émotionnel brisé, le contact physique était tout ce qui lui restait pour l'atteindre. Il découvrit à quel point il avait besoin de la toucher en la prenant dans ses bras. Pendant plusieurs secondes, rythmées par le battement désordonné de son cœur, elle resta raide et distante — puis elle soupira, noua ses bras autour de sa taille et s'appuya contre lui. Et il comprit qu'elle aussi avait besoin de lui.

— Le service ici est épouvantable, souffla-t-il à son oreille tandis qu'ils se balançaient au rythme suave de la musique.

— D'accord.

— Ils mettront une demi-heure avant même d'apporter les salades.

— D'accord.

— La cuisine est encore pire. Ils vont sans doute carboniser les steaks.

— D'accord.

Il posa un baiser sur ses cheveux.

— Tu t'es trompée, Susan. L'autre nuit, c'était toute une histoire. Pour nous deux.

Elle se tut si longtemps qu'il crut qu'elle ne répondrait pas. Enfin, pressant sa joue contre sa poitrine, elle murmura :

— D'accord.

Un long, très long soupir lui échappa ; il resserra son étreinte.

— Ta sécurité doit passer avant tout le reste. Je peux garder mes distances parce que je le dois, mais je ne peux pas supporter que tu ne m'adresses pas la parole. Je t'en prie, Susan, parle-moi.

Un petit rire lui échappa, à moins que ce ne soit un sanglot. C'était si doux, si tremblant que cela lui transperça le cœur.

— D'accord, chuchota-t-elle.

— Laisse-moi y aller à ta place cet après-midi.

— Barry, tu as pris des photos toute la journée hier, et encore ce matin, protesta Susan sans cesser de parcourir des yeux ses derniers tirages. Qu'est-ce que tu essaies de faire, te tuer au travail ?

Son ami arpentait le petit box ; il ne restait aucune trace de son attitude blasée habituelle.

— Non ! C'est juste… je n'ai pas envie de rester enfermé au bureau aujourd'hui.

Il voulait surtout éviter de croiser Ellie !

— Ellie me dit qu'en rentrant chez elle hier soir, elle a découvert que tu étais parti en emportant toutes tes affaires, dit-elle en choisissant ses mots avec soin. Tout va bien ?

— Oh, fantastique. Tu aurais dû l'entendre sangloter pour ce crétin de Skip.

— Une femme a parfois besoin d'une épaule pour pleurer. Tu as pensé à lui proposer la tienne ?

Sans tenir compte de sa question, il reprit le fil de son argumentation.

— Greg a choisi un de tes ours pour la couverture du prochain numéro. Tu as deux autres pleines pages ce mois-ci. Tu n'as aucune raison de passer des heures sous la pluie aujourd'hui à essayer de convaincre une biche de te sourire. Je me charge des photos, va t'amuser un peu pour changer.

— Susan sera enchantée de profiter de sa journée, dit la voix de David derrière eux.

Elle sursauta, rougit, sentit son cœur s'emballer.

— Bonjour ! En voilà une surprise. David, voilà mon collègue Barry Eckhouse. Barry, je te présente...

— David Chevallier, dit celui-ci en s'avançant, main tendue. L'ami de Susan.

Très surpris, Barry se retourna à demi vers elle — qui fixait David, bouche bée. Ses instructions étaient de le présenter comme un cousin, pourquoi affirmait-il maintenant être son amant ? Etait-ce à cause de ce qu'ils s'étaient dit hier soir ? Cela ne ressemblait guère à un serment d'amour… Pourtant, son cœur s'était gonflé de joie. Depuis, il lui semblait qu'elle pourrait de nouveau sourire, être elle-même. Ces quelques jours misérables où elle se sentait complètement coupée de lui étaient terminés.

— Où allons-nous ? demanda-t-elle tandis qu'il l'entraînait vers l'ascenseur.

— Puisque Steve Kemp s'avère être le père biologique de Todd, j'ai pensé que ce serait une bonne idée de parler à sa famille. Sa mère accepte de nous recevoir.

— Ça ne l'ennuie pas que je vienne aussi ?

— C'est elle qui m'a demandé de t'emmener avec moi.

— Comment sait-elle que j'existe ?

— C'est l'une des questions que j'ai l'intention de lui poser.

Les portes s'ouvrirent, ils montèrent dans la cabine. Comme on ne risquait plus de les entendre, elle demanda :

— Parlant de questions, cousin, pourquoi viens-tu de te présenter de cette façon ?

— Etre ton amant, c'est bien plus crédible — et c'est un rôle bien plus facile à jouer pour moi, dit-il avec un sourire.

La cabine s'arrêta souplement au rez-de-chaussée, les portes s'ouvrirent.

— Susan ! lança la voix d'Ellie.

Encore rougissante, elle se tourna vers son amie. Celle-ci attendait l'ascenseur, un sachet frappé du logo de leur traiteur préféré à la main.

— Bonjour, je te présente David. David, c'est Ellie. Ecoute, il faut qu'on se sauve, à tout à l'heure.

Elle s'éloigna très vite. Plus tard, elle devrait affronter un véritable interrogatoire — et elle ne savait pas très bien ce qu'elle devrait répondre.

— Susan, je vous en prie, asseyez-vous, dit Irene Kemp. Vous êtes ici chez vous.

Depuis leur arrivée dans la petite maison modeste de Mason County, la mère de Steve Kemp traitait Susan avec une gentillesse affectueuse qui la laissait abasourdie.

— Je suis si contente de vous voir. Quand j'ai su, pour le bébé…

— De quel bébé parlez-vous, madame Kemp ? demanda David.

Elle se tourna vers lui, surprise :

— Mon arrière-petit-enfant, bien sûr.

— Comment êtes-vous au courant ? demanda Susan.

— Vance Tishman a eu la courtoisie d'appeler pour nous mettre au courant.

— Et vous, à qui en avez-vous parlé ? intervint David.

— Eh bien… à mon petit-fils, Carl. Personne d'autre. M. Tishman nous a bien recommandé de garder ça pour nous. Ce n'est pas un méchant homme, en fin de compte. Rien de ce qui s'est passé n'était réellement sa faute. Le vieil Ardmore a manipulé tout le monde.

— Qu'est-ce qui s'est passé, exactement ? demanda Susan.

La vieille dame poussa un soupir.

— Oui. Je crois que vous devez le savoir. Vous faites partie de la famille désormais. J'ai peine à croire que cela fasse déjà trente ans…

Se levant avec effort, elle alla prendre une photo encadrée sur la cheminée et la leur apporta.

— Voilà mon fils Steve. C'était le meilleur joueur de basket du lycée. Il était si grand, si doué…

— Un beau garçon, murmura Susan en rendant la photo.

— Steve et Molly se sont rencontrés quand il a joué contre l'équipe des garçons de ce lycée snob qu'elle fréquentait. Ils sont tombés amoureux. Molly savait que son père n'approuverait pas, alors ils ont dû se voir en cachette.

— Vous étiez au courant ? demanda Susan.

Irene s'assit lourdement dans son fauteuil.

— Les garçons de dix-sept ans ne disent pas ces choses à leurs parents. Bien entendu, quand Molly est tombée enceinte, il n'a pas pu faire autrement… Elle n'avait que seize ans.

La vieille dame se tut quelques instants puis reprit, pensive :

— Ils avaient été très imprudents, mais il voulait réellement l'épouser. Seulement, il n'était pas assez bien pour Ardmore, sa fille ne pouvait pas épouser le fils d'un vulgaire mécanicien. Il a menacé de lui prendre le bébé, à moins qu'elle n'accepte d'épouser son associé. Vance Tishman avait douze ans de plus qu'elle, elle le connaissait à peine — mais elle n'a rien pu faire. Vous comprenez, elle voulait son bébé.

— Et la mère de Molly, que pensait-elle de la situation ?

— Ces femmes de la bonne société… lâcha Irene avec mépris. Tout le monde sait que Ardmore l'a épousée pour son argent et sa position sociale. Pour lui, c'est tout ce qui compte. Il se fichait du bonheur de sa fille ou de celui de son petit-fils.

Il a interdit à Molly de revoir Steve, ou de révéler à l'enfant l'identité de son père.

— Les pères ont certains droits légaux, objecta David.

— Pas quand le grand-père s'appelle Ardmore ! Il a menacé de couler l'affaire de mon mari, de mettre la famille sur la paille si jamais Steve tentait de revoir sa fille ou l'enfant.

— Alors votre fils s'est effacé pour vous protéger.

— C'était un bon garçon. Il pensait toujours aux autres. Ensuite... Tishman a épousé Molly, il a reconnu l'enfant et Steve a été tenu à l'écart. Mon mari est mort il y a quelques années ; il n'aura jamais vu son petit-fils.

— Mais vous, vous avez rencontré Todd ? demanda Susan.

— L'année dernière, Molly lui a dit la vérité. Elle a emmené Todd ici pour nous rencontrer, Steve et moi. Todd était si heureux de trouver son vrai père ! Molly et Steve n'avaient jamais cessé de s'aimer, même après tout ce temps. J'aurais voulu que vous les voyez, tous les trois...

Une voix d'homme lança un juron.

— Carl ! cria Irene, indignée. Pourquoi n'es-tu pas au travail ?

Depuis une bonne minute, David surveillait l'homme qui se tenait sur le seuil, les yeux braqués sur Susan, essuyant ses mains tachées de cambouis sur un torchon à vaisselle. Interpellé par sa grand-mère, il entra d'une démarche arrogante, jeta son torchon sur la table et se laissa tomber sur le canapé près de Susan.

— Je me suis donné mon après-midi, répondit-il — puis, s'adressant à la jeune femme. Je suis le demi-frère de Todd, celui dont personne ne parle parce que mon grand-père à moi n'avait pas des millions.

— Carl, siffla sa grand-mère, je te demanderai d'être poli.

— J'énerve mémé parce que je suis vulgaire, expliqua-t-il avec satisfaction. Alors, c'est vous la maman de l'héritier de la fortune des Ardmore ? Je pensais que Todd n'avait aucun goût mais je commence à changer d'avis. Mais toi, bébé, qu'est-ce que tu lui trouvais ?

— Mais enfin, Carl, Todd était ton frère, protesta Irene, bouleversée par son attitude.

— Demi-frère, corrigea le jeune homme. Ne vous laissez pas tromper par le roman de mémé, Susan, elle s'intéresserait beaucoup moins à vous si vous n'alliez pas mettre au monde le bébé qui vaut des milliards. Les Kemp sont de sacrés mercenaires. Prenez mon père, par exemple. Ce n'est sûrement pas pour sa bonne mine qu'il a couru après Molly Ardmore !

— Carl, ton comportement est impardonnable.

— C'est ça, riposta l'homme, sarcastique. Mon comportement à moi est impardonnable. Je ne suis que le garçon qui travaille seize heures par jour pour faire vivre la famille. Mon cher demi-frère a tout eu sur un plateau et en fin de compte, il n'a jamais été qu'une m...

— Carl !

Sourd aux protestations de sa grand-mère, il sourit à Susan. Ce n'était pas un beau sourire.

— La seule chose qui me surprenne dans l'histoire, c'est qu'il ait eu le cran de se flinguer.

— Je vous en prie, Susan, ne l'écoutez pas, supplia Irene. Carl ne sait pas ce qu'il dit, il est encore sous le choc de la mort de son père.

— Oh, non, coupa l'homme. Il a eu ce qu'il méritait.

— C'est épouvantable de dire ça ! hoqueta la pauvre vieille dame.

— Tu crois ? Laissez-moi vous parler de ma mère, Susan. Elle est en train de mourir d'un cancer. Elle est allongée dans un lit d'hôpital avec des tuyaux dans le nez. Et pendant ce temps-là, mon père passe ses week-ends avec sa salope. Alors oui, c'est bien ce que je pense : ils ont eu ce qu'ils méritaient.

*
* *

— Je sens encore sa colère, murmura Susan dans la voiture.

— Carl a au moins le mérite d'être franc, répondit David. Tu réalises que c'est peut-être lui qui a tenté de t'enlever ?

— Pourquoi s'en prendre à moi ? Je ne lui ai rien fait.

— Pour réclamer une rançon à Ardmore, par exemple.

— Ce ne serait pas bien malin. Même si Ardmore payait, il finirait par se faire prendre.

— Il ne me fait pas l'effet d'un homme bien malin. Mais ce qu'il a dit soulève tout de même quelques questions.

Elle se tourna vers lui.

— Si tu parles de cette idée selon laquelle Irene Kemp s'intéresse uniquement à moi parce que je porte l'héritier des Ardmore, c'est idiot. Je ne suis pas une Ardmore.

— Quelle que soit sa raison de s'intéresser à toi, ton enfant est bien l'héritier des Ardmore. C'est ce qui te met en danger, j'en suis certain.

— A part le scénario enlèvement et rançon dont nous avons parlé, je ne vois aucune raison…

— Moi, je vois deux raisons : soit pour détenir l'arrière petit-enfant d'Ardmore, soit pour l'éliminer. Ce mobile pourrait s'appliquer à quiconque est au courant de l'existence de l'enfant — y compris Ardmore lui-même.

— L'homme qui m'a agressée était bien plus grand…

— Il pouvait envoyer l'un de ses gardes du corps. Quand on a autant d'argent que lui, on peut acheter les gens.

Elle secoua la tête.

— Mais il semblait content d'apprendre que je gardais le bébé. Pourquoi voudrait-il me faire enlever ?

— Peut-être pour s'assurer que tu le garderais, justement. A ce moment-là, il ne connaissait pas encore ta décision.

— Tu crois vraiment qu'il ferait ça ?

— Tant que tu es en danger, je n'écarte aucune possibilité. Jared a contacté ses collègues pour organiser une rencontre avec le mari de Lucy Norton cet après-midi. Tu veux venir ?

— Oui !

Il leva les yeux vers le ciel menaçant. La météo n'annonçait que de la bruine mais dans cette région, on n'était jamais à l'abri d'une grosse averse.

— Si on déjeunait ? proposa-t-il.

— J'ai laissé mon sandwich au journal.

— Eh bien moi, j'ai préparé un pique-nique.

Jetant un regard rapide au rétroviseur, il s'engagea sur une petite route.

— Tu as préparé un pique-nique, toi ?

— D'accord, je me suis adressé à des professionnels. Tu as faim ?

— Ça dépend. Si ça vient du restaurant d'hier soir…

— Non, ce sera mangeable, je te le promets. Mais je serais encore prêt à échanger un bon repas contre cette piste de danse.

Elle lui sourit ; il crut que son cœur allait s'envoler.

Il se gara sur une colline dominant le Sound et, mieux encore, l'énorme pin de Douglas au tronc se terminant dans une sorte de cratère dans lequel nichait un couple d'aigles. Quelques semaines auparavant, assistant à leur rituel d'accouplement dans le ciel, il les avait suivis à la jumelle jusqu'à leur nid.

Le panier contenait un assortiment de sandwichs, de salades et de fruits. Ils s'installèrent sur une couverture étendue à l'arrière du pick-up. Leur repas terminé, Susan prit quelques photos du nid d'aigle au téléobjectif, et il acheva son soda en contemplant son visage illuminé d'excitation.

— Je n'arrive pas à voir s'il y a un œuf, disait-elle. J'adorerais faire une photo d'un aiglon qui sort de l'œuf.

Son sourire remplaçait largement le soleil absent.

— C'est un endroit fantastique pour un pique-nique !

— Je t'avais dit, je connais tous les meilleurs endroits, repartit-il.

Elle lui sourit encore, vida la bouteille d'eau minérale et noua ses bras autour de ses genoux.

— Ce soir, Ardmore va me donner la lettre que Todd m'avait écrite, confia-t-elle.

— Ce sera intéressant de voir ce qu'il dit. D'après Warren Sterne, tu comptais beaucoup pour Todd.

— Je suis contente qu'il ait eu au moins un ami. Son demi-frère ne l'aimait pas, c'est le moins qu'on puisse dire ! Je me demande ce que Vance Tishman pensait de lui ?

— Sterne a suggéré qu'il était aussi manipulateur que son associé. Les riches se servent souvent de leur argent pour imposer leur volonté aux autres. Ardmore a racheté la compagnie de Tishman bien au-dessus de sa valeur au moment de son mariage avec Molly.

— Ça ressemble plus à une fusion qu'à un mariage. Tu sais pourquoi Tishman est en fauteuil roulant ?

Il secoua la tête. Pensive, elle murmura :

— Tishman tend peut-être la main aux Kemp parce qu'il se sent coupable du rôle qu'il a joué. Si Todd n'a pas pu connaître son vrai père pendant toutes ces années, c'est aussi par sa faute.

— Peut-être.

La brise fraîche était chargée d'une odeur de pluie. La voyant frissonner, il se glissa derrière elle et la prit dans ses bras. Tout naturellement, elle s'adossa contre sa poitrine, posa ses mains sur les siennes. Doucement, il frotta le cercle de peau lisse laissé par son alliance.

— Tu l'as retirée, murmura-t-il.

— Paul est parti.

— Et les rêves ?

— Partis aussi.

L'intensité du soulagement qu'il ressentit le stupéfia.

— Que faisais-tu au refuge, l'autre jour ? demanda-t-elle.

Il aurait pu lui mentir ; quelques jours auparavant, il l'aurait sans doute fait. Plus maintenant.

— Je te regardais prendre des photos des ours.

— Tu t'es rendu à d'autres séances photos, ces dernières semaines ?

— Chaque fois que tu as pris des photos, j'y étais, dit-il en posant sa joue sur ses cheveux.

Une rafale froide fondit sur eux. Elle se blottit contre lui, il resserra son étreinte ; sans qu'il l'ait cherché, son bras effleura l'un de ses seins.

— Tu as assez chaud ? demanda-t-il.

— C'est presque parfait, soupira-t-elle.

— Presque ?

— Oui : on est mal assis. C'est plutôt dur, ici.

— Je te proposerais mes genoux, souffla-t-il à son oreille, mais dans mon état actuel, je doute que tu remarques une grande différence.

Il sentit son léger sursaut quand elle saisit le sens de ses paroles. Son éclat de rire surpris l'enchanta. Les premières gouttes de pluie crépitèrent sur la carrosserie et ils se ruèrent à l'intérieur de la cabine.

Frank Norton, de l'Académie d'aviation Norton, était un petit homme râblé d'une cinquantaine d'années. Ses yeux perçants passèrent rapidement sur Susan pour se fixer sur David. Il mâchait du chewing-gum avec une sorte de rage.

— Le shérif m'a dit de coopérer avec vous alors je vais le faire, annonça-t-il en refermant la porte de son bureau et en tirant le store sur la vitre. Mais si vous dites un mot à Ardmore, je nierai tout.

— Vous avez peur d'Ardmore ? demanda David.

— Bien sûr ! s'exclama l'homme en crachant son chewing-gum à la corbeille.

Il se dirigea vers une machine à café, versa dans une tasse une coulée de lave brune qui sentait le caoutchouc brûlé. Se retournant vers eux, il but une gorgée, fit la grimace et lança :

— Ardmore pourrait m'écraser comme un moustique. Et il le ferait, s'il pouvait prouver que ma Lucy… Le fumier !

— Que votre femme était une alcoolique, murmura David.

Du geste, il invita Susan à prendre une des chaises placées face au bureau. Manifestement, Norton ne comptait pas les inviter à s'asseoir.

— Lucy n'a jamais bu une goutte d'alcool au terrain d'aviation, articula celui-ci en rougissant de rage. Jamais. Même les jours où elle ne pilotait pas.

— De quel fumier parliez-vous ? demanda David.

— Terry Nettles. C'est le gosse d'un type qui a un magasin de vins et spiritueux au bourg. Je vous précise tout de suite que Lucy n'a jamais acheté une seule bouteille chez lui.

— Alors pourquoi ce gosse dit-il le contraire ?

— Parce que ma Lucy a refusé de lui donner son examen au sol. Il voulait la payer pour qu'elle revoie sa note à la hausse. Elle l'a envoyé paître, et elle a fait passer le message à toutes les autres académies de la région, pour qu'il n'essaie pas le même coup chez eux. Il était fou de rage.

— Alors le petit fumier s'est vengé, dit David.

Il sentait bien que chaque fois qu'il parlait du jeune homme en ces termes, son interlocuteur se détendait un peu plus. Celui-ci hocha la tête.

— Nous transportons des passagers mais c'est surtout l'académie qui fait bouillir la marmite. Nous voulons que nos élèves passent leurs examens. S'ils étaient trop nombreux à les rater, nous n'aurions plus qu'à mettre la clé sous la porte ! Mais Terry ne voulait pas se donner la peine. Quand l'enquêteur est passé après l'accident, il était tout content de sortir ses salades.

— Vous lui avez bien dit, vous, que le petit crétin essayait seulement de salir son nom ! protesta David.

— Bien sûr ! Et je lui ai montré les notes de Terry !

— Ça aurait dû régler la question une fois pour toutes.

— Oui… s'ils avaient pu récupérer suffisamment de… son corps pour en avoir le cœur net.

Voilà une réponse que David n'avait pu obtenir ailleurs : la cause de l'accident ne pourrait être déterminée à partir de l'autopsie du pilote.

— A votre avis, qu'est-ce qui a causé cet accident ? demanda-t-il.

Norton secoua la tête.

— J'aimerais bien le savoir. J'ai vérifié ce Skyhawk de fond en comble avant qu'ils ne décollent ce jour-là. Je suis mécanicien, j'ai travaillé pour les grandes compagnies aériennes pendant quinze ans, avant de monter cette école avec ma Lucy.

— Pourquoi Molly Tishman vous a-t-elle choisis ?

— Ce n'était pas Molly. Steve Kemp était un vieux copain, l'ancien coach de basket de mon garçon. Il a réservé ici parce qu'il savait qu'on serait discrets.

— Et pourquoi fallait-il être discret ? demanda gentiment David, sûr de la réponse mais préférant avoir la confirmation d'un vieil ami du malheureux Steve Kemp.

— Steve et Molly étaient amoureux, dit le pilote. Depuis toujours. Seulement, la femme de Steve est en train de mourir de son cancer. Il ne pouvait pas la quitter.

— Alors ils ont demandé à Lucy de les emmener quelque part où ils pourraient passer un moment en tête à tête.

Norton hocha la tête.

— Elle les avait emmenés sur la côte plusieurs fois, au cours des derniers mois.

— Vous aviez remarqué quelque chose de différent, d'inhabituel cette fois ?

— Rien.

— Lucy avait-elle des problèmes de santé ?

— Si elle en avait eu, elle n'aurait pas été pilote, riposta son mari, tout de suite sur la défensive. Lucy était en pleine forme. Elle ne fumait pas, buvait juste un verre de loin en loin, quand on sortait. Le seul breuvage un peu fort qu'elle aimait, c'était ces cafés bizarres que Molly apportait toujours dans un Thermos. Des moka caramel ou je ne sais plus quoi. Lucy disait que c'était encore meilleur que chez Starbuck. Molly en apportait toujours pour tout le monde. C'était quelqu'un de gentil, elle pensait aux autres. Elle ne se croyait pas mieux que n'importe qui. Comme ma Lucy.

Le pauvre veuf plongea son regard dans sa tasse de café.

— Je n'arrive pas à croire qu'elle ne reviendra pas, confia-t-il tout à coup. Je crois toujours entendre le moteur de ce Skyhawk au-dessus du terrain, prêt à atterrir, avec elle aux commandes.

Ses yeux rougirent brusquement, il détourna la tête. Susan et David échangèrent un regard et sortirent en murmurant un remerciement.

Susan jeta un regard critique au miroir. Elle se trouvait très différente avec ses cheveux relevés dans une couronne de tresses et sa robe vert forêt simple et droite, avec un col chinois. La teinte faisait ressortir la couleur de ses yeux mais la coupe était assez quelconque. Oh, et puis zut. Elle n'avait jamais su s'habiller.

Se tournant de profil, elle constata que son ventre restait plat. Quand sa grossesse commencerait-elle à se voir ? Elle sourit, posa la main sur son ventre. *Ne t'en fais pas, mon cœur,* pensa-t-elle. *Continue à grandir tranquillement. Tu peux me faire gonfler comme une montgolfière, je serai toujours aussi contente.*

On frappa à la porte.

— On nous attend chez les Ardmore dans quarante minutes, lança la voix de David.

— Je suis prête.

Faisant un crochet par le lit pour prendre son petit sac à main, elle lui ouvrit la porte. Il était magnifique dans son costume noir ! Et quand elle vit avec quelle admiration il la regardait, elle décida que finalement, elle ne présentait pas si mal.

La salle à manger était impressionnante avec son énorme lustre de cristal, sa tapisserie de brocart, ses tentures de velours vieil or et son plafond de stuc. Susan avait cru que ce genre de décor n'existait que dans l'imagination des producteurs de cinéma.

— Le dîner était excellent, je vous remercie, dit-elle tandis qu'ils passaient dans la pièce voisine.

Une pièce moins voyante mais tout aussi opulente avec ses boiseries, ses tableaux à l'huile et son épaisse moquette crème. Un feu vif brûlait dans la cheminée. Ils s'installèrent autour du foyer et l'on renvoya les domestiques.

— Nancy, donne-nous la lettre, je te prie, demanda Ardmore du fond de son grand fauteuil de cuir.

Sa femme ouvrit un bureau de bois de rose, en sortit une feuille de papier et l'apporta à Susan. Celle-ci la tendit à demi vers David pour qu'il puisse la lire en même temps qu'elle. Elle était datée cinq jours après le séminaire.

« Ma Chère Susan,

» Cette nuit passée avec toi vendredi dernier, c'était l'un des moments les plus importants de toute mon existence. Je te le dis tout de suite parce que tu m'en veux peut-être de n'avoir pas été là quand tu t'es réveillée.

» Je suis allé jeter un coup d'œil à ma voiture pour m'assurer qu'on ne l'avait pas mise à la fourrière pendant que je dormais. Quand je suis revenu, tu étais partie. J'avais vu ton nom sur ton matériel photo mais je ne savais plus pour quelle revue tu travaillais. C'est seulement aujourd'hui, à la bibliothèque, que j'ai trouvé un exemplaire de *True Nature*. Je te dis tout cela pour que tu comprennes pourquoi j'ai mis si longtemps à te recontacter, et pourquoi j'envoie cette lettre à ton adresse professionnelle.

» Susan, tu trouveras en bas de cette lettre mon nom complet, mon numéro de téléphone, mon adresse et mon e-mail. Je t'en prie, contacte-moi. Je n'ai pas cessé de penser à toi depuis l'autre nuit. Je voudrais tellement te revoir.

Todd. »

Emue par la sincérité de cette lettre, elle leva les yeux et trouva les regards des trois autres braqués sur elle. Nancy Ardmore lui sourit tristement :

— Je l'ai trouvée dans le tiroir de son bureau, dit-elle. Il n'a pas eu le temps de la poster. Vous comprenez, c'est le lendemain que...

Elle comprit ce que la vieille dame ne parvenait pas à dire. Le lendemain, Todd avait fait exploser le laboratoire.

— Quand votre nom a fait surface parmi les personnes que fréquentait M. Chevallier, intervint Ardmore, j'ai compris que vous étiez *la* Susan qui faisait partie de la rédaction du magazine *True Nature*. Tout ce que mon enquêteur a découvert à votre sujet l'a convaincue que vous cherchiez à retrouver Todd parce qu'il était le père de votre enfant. Mais ensuite, vous avez cessé vos recherches. Pourquoi ?

Elle leva les yeux vers David pour le consulter ; il hocha discrètement la tête.

— Parce que M. Chevallier venait de découvrir que Todd s'était gravement blessé dans une tentative de suicide, répondit-elle. On ne s'attendait pas à ce qu'il survive.

Le regard d'Ardmore se posa un instant sur David ; il semblait surpris. Se concentrant de nouveau sur elle, il reprit :

— Je préférerais que les circonstances de la mort de mon petit-fils ne soient pas révélées au public.

— Je n'ai pas l'intention d'en parler à qui que ce soit, repartit-elle.

Apparemment satisfait, le vieil homme approuva de la tête.

— Le shérif m'apprend qu'il n'a encore aucune piste pour cette tentative d'enlèvement. M. Chevallier est un détective très compétent mais la protection rapprochée n'est pas sa spécialité. Je possède une société de vigiles qui n'emploie que les meilleurs. Deux de leurs hommes vous raccompagneront ce soir ; deux autres vous rejoindront demain matin. Quatre d'entre eux seront près de vous à tout moment.

— Je vous remercie, mais je n'ai pas besoin d'autre garde du corps.

Les sourcils froncés, Ardmore se mit à tapoter du bout des doigts sur l'accoudoir de son fauteuil.

— Vous refusez ma proposition ?

— J'apprécie beaucoup votre proposition, mais je me sens tout à fait en sécurité auprès de M. Chevallier.

Le tapotement de ses doigts s'accéléra.

— J'ai vu vos photographies dans *True Nature*. Vous avez un talent exceptionnel. J'engagerai une nurse à plein temps dès la naissance de l'enfant, pour que vous puissiez poursuivre votre carrière sans interruption.

— C'est très généreux à vous, mais je ne compte pas prendre de nurse.

— Il vous faudra une pension mensuelle pour couvrir les frais de base, annonça-t-il. Je commencerai à cinq mille.

Cinq mille dollars par mois ? se demanda-t-elle, abasourdie.

— Ecoutez, dit-elle avec un effort, je sais que vous avez les meilleures intentions mais je peux faire vivre mon enfant. Je ne souhaite pas prendre votre argent et je n'en ai aucun besoin.

— Vous portez mon arrière petit-enfant, protesta le vieil homme dont les doigts tambourinaient furieusement.

— Exactement. Mme Ardmore et vous-même serez toujours les bienvenus quand vous voudrez le voir. Ainsi que M. Tishman, bien sûr.

Il braqua sur elle un regard sévère.

— Vous devez penser au bien-être de l'enfant.

— C'est ce que je fais.

— J'ai l'intention de m'assurer qu'il sera élevé correctement.

— Moi aussi.

— Il est essentiel qu'il reçoive une stimulation mentale très tôt, et que sa nutrition soit correcte. Vous devez tenir compte de mes conseils sur ces points. Vous n'avez pas de revenus suffisants pour assurer le nécessaire.

— Je serai heureuse d'écouter vos conseils, dit-elle calmement, mais je peux vous assurer que vous n'avez pas de revenus suffisants pour m'obliger à les suivre si je ne suis pas convaincue de leur valeur.

— Mademoiselle Carter...

— Monsieur Ardmore, coupa-t-elle, je souhaite que mon enfant vous aime pour qui vous êtes, pas pour l'argent que vous dépensez pour lui. Ne voulez-vous pas la même chose ?

Les doigts du vieil industriel s'immobilisèrent. Son expression était orageuse, mais sa voix semblait moins revêche quand il dit enfin :

— Si vous tenez tant à gagner ce round, la moindre des choses serait de m'appeler Robert.

— Avec plaisir ! Appelez-moi Susan. Et ce n'est pas un pugilat, je préfère penser que nous venons de conclure un pacte. Nous voulons tous deux faire le bonheur de ce bébé. En ce qui me concerne, nous sommes dans le même camp.

Elle lui sourit avec chaleur et gentillesse. Les lèvres de Robert Ardmore se retroussèrent légèrement.

— Si mon petit-fils vous avait rencontrée plus tôt, dit-il, vous auriez peut-être fait de lui un homme.

14.

Tandis que Nancy entraînait Susan dans un coin pour lui montrer des photos de famille, David rejoignit Ardmore devant l'assortiment de bouteilles disposé sur une table. Le vieil homme leur servit à tous deux un cognac hors d'âge. David goûta, sentit l'alcool somptueusement parfumé glisser dans sa gorge et hocha la tête avec admiration.

— Susan est en danger parce qu'elle porte votre arrière petit-enfant, dit-il.

— Je ne sais pas pourquoi on a tenté de l'enlever, repartit Ardmore, mais vous devriez la convaincre d'accepter des gardes du corps supplémentaires.

— Y a-t-il quelqu'un qui pourrait chercher à vous atteindre à travers l'enfant ? demanda David sans relever.

Ardmore haussa les épaules.

— Je ne suis pas arrivé où je suis en ne me faisant que des amis.

— Il faudrait que cette personne soit au courant. A qui en avez-vous parlé quand McKinney vous a appris la nouvelle ?

— Seulement Nancy et Vance. Susan a dû en parler de son côté.

— Non, à personne.

— Dans ce cas, on s'est attaqué à elle par hasard.

Cela, David ne pouvait le croire. Il se demanda quelle serait la réaction d'Ardmore s'il savait que Tishman avait mis les Kemp au courant — et décida de garder cette information pour lui.

— Les enquêteurs ont rendu leur rapport sur l'explosion au laboratoire ? demanda-t-il.

Ardmore sirotait son vieux cognac mais son visage ne reflétait aucun plaisir.

— La semaine dernière, au moment de la mort de Todd. Je suis surpris que votre frère ne vous ait pas mis au courant.

— Je n'ai pas posé la question à Jared. Qu'ont-ils découvert ?

— On a conclu à une mort accidentelle.

A voix plus basse, il ajouta :

— C'était une faveur.

Ce vieil homme souffrait et si ses conclusions étaient justes, il pouvait atténuer un peu cette douleur. Il se lança :

— Vous avez lu la lettre que votre petit-fils a adressé à Susan, dit-il. Diriez-vous qu'il s'agit d'une lettre d'amour ?

— Mon petit-fils n'était pas très sophistiqué. Susan est probablement la seule femme qu'il ait croisée qui n'en avait pas après mon argent. Il se croyait sans doute amoureux.

— L'amour rend plutôt euphorique, surtout les premiers temps.

— Où voulez-vous en venir ?

Patiemment, sans se préoccuper de l'agacement évident d'Ardmore, David répondit :

— A un point important. Un homme euphorique a peu de chances de se suicider.

— Vous avez bien fait de renoncer à vos consultations de psychologue. Le mot que Todd a laissé au moment de mourir n'a rien d'euphorique.

— J'aimerais voir ce mot.

— Ce n'est pas à vous qu'il l'a écrit.

— Dans ce cas, permettez-moi de voir son ordinateur personnel.

Ardmore le foudroya du regard.

— Qu'est-ce que vous cherchez, vous ?

— J'aimerais voir ce qu'il a écrit d'autre.

— Il n'avait pas d'ordinateur.

— Warren Sterne affirme le contraire.

— Sterne se trompe ou il ment. Nous n'avons trouvé aucun ordinateur dans les affaires de Todd. S'il communiquait avec Sterne par courrier électronique, il devait se servir de l'ordinateur du labo.

— Puis-je y jeter un coup d'œil ?

— Il a été détruit dans l'explosion, comme tout le reste.

— Monsieur Ardmore, je suis convaincu que la mort de votre petit-fils n'était pas...

— Ecoutez, Chevallier. Vous avez sauvé Susan et mon arrière petit-enfant. Vous acceptez de ne pas raconter partout les circonstances du suicide de mon petit-fils. Je vous suis donc deux fois reconnaissant mais je n'ai pas l'intention de vous laisser remuer notre malheur à l'infini. Laissez Todd reposer en paix !

— Ne vous laissez pas tromper par son attitude, Susan, murmura Nancy en ouvrant un nouvel album de photos. Robert aimait Todd, comme il aimait notre Molly. Il voulait faire au mieux pour eux.

— Molly était très petite, n'est-ce pas ? commenta Susan, penchée sur la photo d'une jeune fille mince et grave, sanglée dans l'uniforme d'un lycée privé.

— Oui. Tous les Todaro sont petits.

— Le petit nom de Todd venait de votre nom de jeune fille, alors ?

Nancy hocha la tête.

— C'est Molly qui s'est mise à l'appeler comme cela. Elle était si gentille, et si bonne mère ! Elle m'a terriblement manqué quand elle a quitté la maison pour se marier. Elle était encore si jeune, à peine sortie de l'enfance…

La vieille dame se tut un instant.

— Robert s'est montré trop strict avec elle, trop exigeant, confia-t-elle. Il a essayé d'être plus souple avec Todd. Il a retardé le travail sur plusieurs insecticides très prometteurs, rien que pour lui laisser sa chance de mener à bien son projet.

— Dommage que son approche n'ait pas abouti.

— Il a eu certains succès, mais pas suffisamment pour récupérer l'argent que Robert avait investi. Cela, Robert ne le lui a jamais dit. Il voulait tant le voir réussir.

— Et Todd envisageait de s'associer avec son ami, Warren Sterne.

— Une quinzaine de jours avant… sa mort, il a annoncé un soir au dîner qu'il voulait quitter le laboratoire de recherche. Il n'a pas précisé ce qu'il ferait ensuite.

— Cette décision a dû peiner son grand-père.

Nancy hocha la tête.

— Robert lui a dit que le seul véritable échec, c'est d'abandonner. Il a proposé de financer de nouvelles recherches sur les prédateurs naturels. Quand Todd s'est tué, Robert a été… brisé.

— Parce que c'était l'ultime abandon.

— Exactement, dit Vance Tishman en immobilisant son fauteuil près d'elles. Robert a affronté beaucoup de moments très difficiles dans sa vie, mais pas une seule fois il n'a envisagé de renoncer. Nancy, ce serait très gentil d'aller me chercher un autre cognac, je n'arrive pas à m'approcher suffisamment du bar…

— Oui, bien sûr…

Prenant son ballon vide avec gentillesse, la vieille dame se dirigea vers le plateau. Ardmore et David se tenaient tout près, en grande discussion ; Susan se demanda pourquoi Tishman ne s'était pas adressé à eux.

— Pardonnez-moi, Susan, dit rapidement l'invalide à voix basse, c'était juste un prétexte pour pouvoir vous parler un instant en tête à tête.

— Ah ?

— Irene Kemp m'a téléphoné pour me parler de votre visite. Elle m'a demandé de vous répéter ses excuses pour le comportement de Carl. La maladie de sa mère le rend fou, Susan. Il ne sait plus ce qu'il pense, ou ce qu'il fait.

— Je peux comprendre ça.

Mal à l'aise, il changea de position dans son fauteuil roulant.

— Robert ne sait pas que je suis en rapport avec les Kemp, avoua-t-il enfin. Pour lui, Steve est responsable de la mort de Molly. Il est convaincu qu'il n'a repris contact avec elle que pour le mettre en difficulté.

— Et vous, que pensez-vous ? demanda-t-elle.

Il poussa un gros soupir, redressa les lunettes épaisses qui glissaient sur son nez.

— Je pense surtout que j'ai commis une erreur en épousant une femme qui avait déjà donné son cœur à un autre. Mais Todd était mon fils, vous comprenez ? Pour tout ce qui comptait, il était mon fils. Vous ne direz rien à Robert, au sujet des Kemp ?

— Je ne vois aucune raison de le faire.

— Je vous remercie. Je vous en prie, appelez-moi Vance — et si jamais je peux vous être d'une utilité quelconque, n'hésitez pas à faire appel à moi. Tenez, prenez ma carte.

Glissant la main dans la poche de son veston, il en tira une carte ; Susan la prit et y jeta un bref coup d'œil.

— Vous êtes P.-D.G. de la Ardmore Chemical Company ? demanda-t-elle.

Il approuva de la tête avec un bref sourire.

— La compagnie a changé de nom mais en quatre-vingts ans, il y a toujours eu un Tishman à la barre. J'avais espéré que Todd prendrait la suite… c'est ce qu'espèrent tous les pères.

Nancy revenait vers eux. Se penchant en avant, Tishman baissa la voix :

— Todd était un garçon très intelligent et le meilleur des fils. Ne laissez pas son grand-père vous convaincre du contraire. Robert a toujours été très dur avec le petit.

— Tu penses que Todd Tishman ne s'est pas suicidé ? demanda la voix de Jared au bout du fil.

David avait attendu d'être de retour chez lui et de voir Susan occupée avec Chou pour appeler son frère. Il ne voulait pas la troubler davantage tant que rien ne viendrait étayer ses soupçons.

— Comment a-t-on déclenché l'explosion du labo ? demanda-t-il.

— Avec un mélange de produits chimiques hautement volatils.

— Des produits qu'on utilisait tout particulièrement dans ce laboratoire ?

— Ils y étaient présents, oui — mais ils auraient aussi bien pu être achetés ailleurs, si c'est ce que tu veux dire.

— Et les enquêteurs ont conclu au suicide à cause du message.

— Et aussi parce que Todd était seul au labo au moment de l'explosion.

— Que disait le mot ?

— Qu'il était furieux à cause de la mort de sa mère, furieux contre son grand-père et furieux contre ce laboratoire qui produisait et disséminait des toxines.

— La colère face à des situations ou des êtres extérieurs à soi ne mène pas au suicide, protesta David. Seule une colère tournée vers l'intérieur peut générer un désespoir suffisant pour amener un individu à se tuer.

— Je m'incline devant ton expertise.

— Comment la lettre a-t-elle été livrée à son destinataire ?

— A travers le réseau de la compagnie. C'était un e-mail.

— Je croyais que l'ordinateur dont il se servait était détruit !

— C'est vrai, mais le message avait été expédié à son grand-père avant l'explosion.

— Jared, ça ne sonne pas juste.

— A la lumière de cette lettre écrite à Susan Carter la veille, je suis assez d'accord avec toi. Je vais jeter un nouveau coup d'œil à cette affaire.

— S'il s'agit d'un meurtre, l'assassin peut aussi avoir été mêlé à la tentative d'enlèvement de Susan.

— Aucun des protagonistes ne possède de camionnette noire, David. A moins que Carl Kemp n'ait emprunté celle d'un client ?

— Où se trouvait Carl au moment de l'enlèvement raté ?

— Apparemment, à son atelier. C'est difficile à vérifier parce qu'il travaille seul. Je vais voir si je peux apprendre où il était quand le laboratoire a explosé.

— Ça pourrait être utile, oui. Tu as découvert quelque chose au niveau financier ?

— Todd ne possédait pas grand-chose, juste sa voiture et un compte en banque ordinaire. L'appartement de Falls Island appartenait à Ardmore. Comme Todd est mort sans testament, ses biens reviennent à Vance Tishman puisque légalement, il est son père.

— Todd n'avait aucune part de la fortune familiale ?

— Les riches font ça plus discrètement. La pratique la plus courante est de gérer les biens en fidéicommis. Ardmore m'a parlé d'un système de ce type mais je n'ai aucune garantie qu'il m'ait dit la vérité.

— Sous toute réserve alors, qu'est-ce qu'il t'a dit ?

— Si Ardmore meurt, ses biens reviendront à sa femme et à différentes œuvres de charité. Il n'a jamais rien prévu pour sa fille ou pour Todd. C'est un principe chez lui : les parents doivent s'assurer que leurs enfants reçoivent les meilleurs soins et la meilleure éducation ; en revanche, une fois qu'ils sont adultes, il doivent se débrouiller seuls. Entre nous, ça ne s'accorde pas très bien avec le fait d'avoir donné à Todd un emploi et un appartement.

— L'éternel dilemme des parents, opina David. Ils poussent leurs enfants à être autonomes mais ils sont incapables de rester sur la touche à les regarder se casser le nez. En même temps, si Ardmore t'a dit la vérité, je ne vois pas ce que la mort de Todd rapporterait à qui que ce soit.

— Au contraire. Warren Sterne a peut-être fait tout le travail depuis quatre ans pour développer sa *start-up*, mais Todd était associé à part entière.

— Sterne partageait les bénéfices avec lui ?

— L'entreprise était dans le rouge pendant les deux premières années, expliqua Jared. La troisième année, les bénéfices ont été réinvestis dans l'entreprise. En revanche, à la fin de cette année fiscale, Sterne aurait eu de gros bénéfices à partager avec Todd s'il avait vécu. Selon leur accord, tout revient au survivant. Warren Sterne possède désormais toute la boutique.

— Tu essaies de me dire que Sterne avait un mobile.

— Oui, le meilleur de tous.

*

* *

— Fini les cachotteries, Susan, lâcha Ellie en se laissant tomber sur la chaise faisant face à son bureau. Dis-moi tout. Qui est David ?

— L'homme de ma vie, répondit-elle simplement.

C'était la version qu'ils étaient convenus de donner — c'était aussi la vérité.

— Depuis quand ?

— Depuis un petit moment, dit-elle en restant dans le vague. El', je suis désolée, je ne voulais pas te faire de cachotteries mais notre histoire n'a pas commencé d'une façon très évidente. Je ne savais pas moi-même où nous allions.

— Et maintenant, tu sais où vous allez ?

— Pas la moindre idée, soupira-t-elle.

— Il t'aime ?

— Pas la moindre idée.

— Tu l'aimes ?

— Je crains bien que oui.

Ellie secoua la tête, mécontente.

— Ça ne te ressemble pas. Tu peux lui faire confiance ?

Avec ma vie ? Sans aucune hésitation, pensa-t-elle. Avec mon cœur ? C'est une autre paire de manches.

— Je sais qu'il ne lui viendrait pas à l'idée de me faire du mal, hasarda-t-elle.

— Les hommes ne pensent jamais à nous faire du mal. Ils nous font du mal justement parce qu'ils ne pensent pas.

— Très jolie formule. Et où en sont les choses entre toi et Barry ? demanda-t-elle, pressée de changer le sujet.

— Comme entre le Moyen Age et la peste noire, répliqua Ellie. S'il me voit venir, il file. Je t'ai dit qu'il m'a posté un *chèque* pour le temps qu'il a passé chez moi ?

— Oh ! Enfin, tu sais bien que les hommes ne voient pas l'argent comme nous. C'était juste une façon maladroite de te remercier.

Ellie se rongea brutalement un ongle.

— D'accord. Si « maladroit » veut dire crétin, je veux bien. Je lui ai renvoyé son fichu chèque. Il s'est chargé des courses pendant tout son séjour ; il a fait la cuisine tous les soirs. Il ne me doit rien du tout — à part peut-être des excuses pour s'être montré aussi bête.

Le téléphone sonna. Machinalement, Susan décrocha et entendit :

— Susan ? Ici Nancy Ardmore.

— Bonjour ! s'écria-t-elle, surprise.

Gestes à l'appui, elle fit comprendre à son amie qu'elle devait prendre cet appel. Ellie hocha la tête et disparut.

— Susan, je dois vous parler. Pouvez-vous me retrouver quelque part pour prendre un café ?

Elle hésita un instant ; l'autre femme supplia :

— Je vous en prie, Susan. C'est très important. Je vous retrouverai où vous voudrez.

Vaincue, Susan nomma un café à deux rues du journal. Dès que Nancy eut raccroché, elle appela David pour le mettre au courant.

— Donc, elle ne pouvait pas te parler au téléphone ?

Elle risqua un regard rapide par-dessus la cloison avant de chuchoter :

— Ecoute, je ne pense pas qu'elle envisage de m'assassiner dans un lieu public. J'aimerais entendre ce qu'elle a à dire.

— Tu as ton portable sur toi ?

— Oui, fixé à ma ceinture, sous mon pull.

— Bien. Jack te retrouvera devant l'entrée du journal, il t'accompagnera au café et te ramènera. Je ne peux pas venir en personne, je suis coincé sur la côte.

— Quelque chose d'important ?

— Je te raconterai au retour. Susan : ne va pas aux toilettes au café. Ne va nulle part où Jack ne puisse te suivre. Il faut qu'il puisse te garder à l'œil à tout moment.

— Vous n'êtes pas sérieux ? balbutia Warren Sterne.

— Nous sommes très sérieux, assena David. Si vous n'êtes pas convaincu, cet officier se fera un plaisir de vous emmener au bureau du shérif pour vous poser ces questions dans un autre cadre.

Le gros garçon leva un regard inquiet vers Jared, impressionnant dans son uniforme de député. Par chance, il ne semblait pas savoir qu'il se trouvait hors de sa juridiction.

— Vous m'aviez dit que Todd avait eu un accident, reprit-il d'un ton accusateur, en se retournant vers David.

— Et maintenant, je vous dis le contraire.

— Je n'aurais jamais fait de mal à Todd. Je n'ai jamais mis les pieds dans cette boîte. Todd venait toujours ici.

— Quand est-il venu pour la dernière fois ?

— Ça doit faire six mois.

— Ce n'est pas curieux que votre associé et meilleur ami se préoccupe si peu de votre affaire ?

— Il avait assez à faire avec son propre boulot. Je me chargeais de tout et on restait en contact par courrier électronique. Vous n'avez qu'à vérifier son P.C.

— Robert Ardmore m'affirme que Todd n'avait pas d'ordinateur personnel.

— Il dit n'importe quoi. J'ai aidé Todd à le choisir il y a deux ans.

Faisant pivoter son siège vers son écran, il pianota sur le clavier.

— J'ai gardé la plupart de ses messages. Quand vous verrez son adresse, vous comprendrez qu'il les a envoyés de chez lui.

— Comment est-ce que je comprendrai ça ?

— Il est passé par le serveur local de Falls Island. Un serveur exclusif, qui ne couvre que l'île. Le laboratoire est en dehors de leur territoire.

— Il aurait tout de même pu se servir de l'ordinateur du labo, en accédant par téléphone au serveur de Falls Island, objecta David.

— Attendez, vous allez voir. On s'écrivait surtout à des heures bizarres. Vous pensez que Todd refaisait la route jusqu'à son boulot, et qu'il se donnait ensuite la peine de revenir par téléphone dans le réseau de Falls Island quand il voulait se connecter sur internet ?

David dut avouer que c'était peu probable. Warren acheva d'ouvrir un fichier et une longue liste de messages se déroula. Faisant reculer son siège, il s'écarta pour permettre à David de s'approcher.

— Ils ont quasiment tous été envoyés la nuit ou le week-end, et chacun d'entre eux est passé par le serveur de Falls Island, répéta-t-il. Vous n'avez qu'à vérifier.

— Passez-moi une disquette et je le ferai.

— Je n'ai pas dit que vous pouviez les copier. Il y a beaucoup de trucs très personnels là-dedans.

— Vous ne voulez pas nous aider à prendre l'assassin de votre ami ?

Jared venait d'ouvrir la bouche pour la première fois. Warren poussa un soupir explosif.

— Oh, et puis m... Copiez tout le disque dur si ça peut vous avancer à quelque chose !

— Merci d'avoir accepté de me retrouver, murmura Nancy.

Elle avait entraîné Susan vers le fond du café et attendu que la serveuse soit repartie avant d'ouvrir la bouche. Maintenant, elle se penchait en avant et parlait à voix basse.

— Ce que je souhaite vous dire est confidentiel. Je préférerais que vous n'en parliez à personne.

Après un instant de réflexion, Susan répondit :

— Tant que je ne fais de mal à personne en me taisant.

— Parfait.

Elle prit un instant pour rassembler ses pensées.

— Quand j'ai épousé Robert, mes parents ont insisté pour que nos deux fortunes ne soient pas confondues. Robert était déjà un homme riche mais mes parents étaient persuadés qu'il ne m'épousait pas par amour. Mon père lui a fait signer un contrat de mariage stipulant que tout ce que je possédais auparavant, et tout ce dont j'hériterais à la mort de mes parents, serait à moi et non au ménage.

— Robert devait vraiment vous aimer pour accepter ça.

— Nous sommes tombés amoureux dès le premier jour.

Pour la première fois, elle croisa le regard de Susan et lui sourit.

— Pendant toutes ces années, il a été un mari tendre et fidèle. Même s'il est parfois très autoritaire et agaçant !

Susan retint un sourire.

— Si je souhaite que vous ne lui parliez pas de notre conversation aujourd'hui, c'est simplement parce qu'il serait peiné que j'aie agi contre sa volonté.

— Quelle volonté ?

— Molly était une jeune fille timide et peu sûre d'elle, facile à intimider. Quand elle a épousé Vance, je ne voulais pas qu'il puisse la bousculer comme le faisait son père. Voilà pourquoi, sans rien dire à Robert, j'ai placé le plus gros de mon héritage en fidéicommis à son bénéfice. Le transfert a été validé à la veille de son mariage, et l'argent est resté sa seule propriété.

J'espérais que cela lui donnerait le sentiment de contrôler sa propre vie.

La vieille dame se tut un instant pour boire une gorgée de thé.

— Je laisse Robert prendre les décisions dans notre famille par choix, pas par faiblesse. Parce que je veux le rendre heureux. Le fait d'avoir ma propre fortune me permet de faire ce choix. Vous comprenez bien cela ?

— Oui, répondit Susan.

Elle-même n'aurait pu fonctionner de cette façon mais elle pouvait comprendre l'optique de Nancy.

— Les intérêts étaient versés sur le compte de Molly, reprit la vieille dame. Aux taux actuels, cela se monte à une centaine de milliers de dollars par mois. A sa mort, Todd est devenu le bénéficiaire — et tout enfant de lui, né pendant sa vie ou dans un délai de neuf mois après sa mort, doit lui succéder à son tour. Votre enfant sera l'héritier de Todd.

Susan faillit s'étrangler sur son verre d'eau pétillante.

— Comme vous n'étiez pas mariés, vous devrez sans doute faire tester l'A.D.N. de l'enfant, enchaînait sereinement Nancy. Dès que j'ai appris que vous étiez enceinte, j'ai pensé à ce problème et demandé au médecin de préserver un échantillon d'A.D.N. de Todd avant son décès. Votre position ne pourra être remise en cause.

Susan la fixait, paralysée par le choc. Gentiment, Nancy se pencha vers elle et posa la main sur la sienne.

— Cet argent vous revient de plein droit, dit-elle. Vous l'emploierez à la façon qui vous conviendra, Robert ne pourra pas vous dicter ses volontés. J'ai déjà prévenu le chargé de pouvoir de la succession de Todd, l'argent restera placé dans divers investissements jusqu'à la naissance de l'enfant. Dès la confirmation de la paternité par le test A.D.N., les fonds seront entièrement entre vos mains.

*
* *

David glissa la disquette contenant les messages électroniques de Todd dans l'ordinateur de son bureau et se mit à les lire dans l'ordre chronologique, en commençant par le plus ancien. Il y en avait une bonne centaine.

Todd parlait beaucoup des espoirs qu'il plaçait dans ses recherches. Il ne mentionnait aucune femme à part sa mère et sa grand-mère ; il semblait les aimer tendrement toutes les deux et se sentait particulièrement proche de sa mère. En revanche, dès qu'il était question de son grand-père, de Vance Tishman ou de Carl Kemp, le style était très différent.

Très concentré, il étudia tous les messages. Quatre surtout retinrent son attention. Le premier datait d'un peu plus d'un an :

« Je viens de rencontrer mon vrai père ! Il a été génial avec moi. Mon demi-frère ne peut pas me sentir, je ferais bien de le tenir à l'œil. S'il a l'occasion de le faire, il me poignardera dans le dos. »

Le deuxième avait été rédigé onze mois plus tôt.

« Vance est venu au labo aujourd'hui. Il a annoncé à l'équipe que mes recherches sur les prédateurs améliorés avaient échoué et que nous allions devoir marcher avec le pesticide. Et là, il m'a regardé, et il a souri. Ce salaud voulait que le programme échoue. Il y a trois semaines, je l'ai entendu au téléphone dire à mon grand-père qu'il gaspillait son argent à financer mes idées. Ma mère n'a jamais aimé ce fumier. Je crois qu'elle va le quitter, maintenant que mon vrai père a refait surface. »

Le troisième se situait peu après l'accident d'avion.

« Mon grand-père va étouffer l'accident, Warren. Il dit que l'infidélité de ma mère nous ferait, à tous, perdre la face. Il pense plus à sa réputation qu'à la mort de sa fille. Maintenant que j'ai de l'argent, je ne veux plus le voir. J'aurais dû écouter ma mère, j'aurais dû partir depuis longtemps. »

Il avait écrit le tout dernier dix jours à peine avant sa mort.

« J'ai donné à Vance ma lettre de démission. Il a dit qu'il était désolé de me voir quitter la compagnie. Comme si j'allais le croire ! Depuis l'accident de maman, il joue au mari bafoué et trahi mais il ne nous a jamais aimés, ni elle ni moi ! Je sais très bien que Carl et lui, ils sont contents que maman et Steve soient morts. Je les hais, si tu savais comme je les hais tous les deux. »

La ligne privée sonna et David décrocha.

— L'alibi de Warren est confirmé, dit la voix de Jared à son oreille. Il ne pouvait pas se trouver au laboratoire au moment de l'explosion. Et il avait raison : Todd s'est bien servi d'un ordinateur privé pour envoyer ses messages. Les appels de Todd au serveur de Falls Island provenaient tous de son numéro personnel.

— Ardmore nous a donc menti, murmura David.

— Tu penses qu'il voulait te cacher ce que son petit-fils écrivait à son sujet ?

— Ce n'était pas le grand amour entre eux mais je viens de lire ses messages et je dirais qu'il en voulait beaucoup plus à Tishman et Carl Kemp. Jared, attends, dans le message envoyé par Todd au moment de son suicide... tu m'as bien dit qu'il parlait de la mort de sa mère, de son grand-père et du labo ?

— Oui, dans cet ordre.

— Mais il n'y avait rien au sujet de Tishman ou Carl Kemp. Intéressant.

— Celui qui a écrit cette lettre ne le connaissait peut-être pas suffisamment pour savoir ce qu'il pensait d'eux.

— Mais il savait ce qu'il ressentait au sujet de la mort de sa mère, un sujet qui avait été étouffé avec soin. Non, je penche pour l'explication la plus logique : si Tishman et Carl Kemp ne sont pas cités dans la lettre, c'est parce qu'elle a été écrite par l'un d'eux.

— Kemp a quitté plusieurs fois son atelier ce jour-là. Il aurait pu faire la route jusqu'au laboratoire et tuer son demi-frère. En revanche, Tishman est dans un fauteuil roulant. Comment aurait-il pu mettre Todd hors de combat, préparer l'explosion et sortir à temps ?

— De bonnes questions, pour lesquelles je n'ai encore aucune réponse. Comment se porte-t-il, financièrement ?

— Il a touché un gros paquet quand Ardmore a racheté sa compagnie. Avec le salaire à six chiffres qui lui tombe tous les mois depuis des années, il n'est pas à la rue. Ce type a une propriété à Falls Island et une Ferrari neuve !

— Une Ferrari ? répéta David. Comment est-ce qu'un type en fauteuil roulant peut conduire une Ferrari ?

— Son chauffeur le pose peut-être derrière le volant ?

— En tout cas, il n'avait pas besoin de faire la sale besogne lui-même, il a pu engager quelqu'un d'autre. Jared, tu peux recenser ses employés, et voir où ils se trouvaient au moment de la tentative d'enlèvement ?

— Tu parles sérieusement ?

— Le message envoyé au moment du suicide le désigne — lui ou Kemp. Voyons si nous pouvons trouver mieux.

— D'accord. Je vais voir ce que je peux faire.

— Appelle-moi sur mon portable. Je vais voir Ardmore, j'ai quelques questions pour lui. A mon avis, il sera le seul à pouvoir y répondre.

*
* *

En reprenant place derrière son bureau, Susan se sentait encore assommée par la nouvelle. Cent mille dollars ? Tous les mois ? Que pourrait-elle faire d'une somme pareille ?

Elle tendit la main vers le téléphone pour annoncer la nouvelle à David… et se ravisa. Elle avait promis à Nancy de n'en parler à personne à moins que le secret ne fasse du tort à quelqu'un. En même temps, pour aider David à la protéger efficacement, ne devait-elle pas tout lui dire ? Elle pesait encore le pour et le contre quand Barry fit irruption dans son box.

— Susan, je te cherchais partout. Greg nous a pris des places sur un bateau, il veut que toi, Ellie et moi, nous allions immédiatement aux îles San Juan. Le réseau de surveillance des baleines a prévenu que les orques arrivent.

— Nous devons y aller tous les trois ?

Son ami hocha la tête.

— En plus des orques, les îles pullulent de phoques, d'otaries, de loutres et d'oiseaux — y compris ton grand préféré, le macareux. Il y a même des aigles chauves qui volent la nourriture des goélands. Greg a décidé qu'il veut faire un numéro entier sur la faune des îles.

— Attends, je dois mettre à jour mon planning.

— On n'a pas le temps pour ça ! Le taxi nous attend devant la porte. Ellie est déjà à l'intérieur avec notre matériel. Et puis, Greg sait où tu seras ; si quelqu'un a besoin de te joindre, il n'aura qu'à lui demander.

— Juste un coup de fil rapide, insista-t-elle en décrochant le téléphone.

Barry lui prit le combiné des mains.

— Tu téléphoneras avec mon portable quand on sera dans le taxi. Viens ! On ne peut pas se permettre de rater ce bateau.

*
* *

— Cherchez-vous à suggérer que je vous ai menti ? s'enquit Ardmore en rougissant de colère.

— J'ai la preuve que Todd possédait effectivement un ordinateur portable chez lui, et qu'il s'en servait pour envoyer des messages à Warren Sterne, répondit David. Voici quelques-uns de ces messages. Regardez, vous verrez qu'ils sont passés par le serveur de Falls Island.

Le vieil homme lui arracha les feuillets des mains, saisit ses lunettes et les chaussa pour parcourir les messages.

David avait bien pris garde de n'apporter que des messages ne contenant aucun commentaire désobligeant au sujet d'Ardmore — il avait même inclus un e-mail dans lequel Todd disait combien il appréciait sa proposition de financer un nouveau projet de recherche sur les prédateurs naturels. David avait besoin de la coopération du vieil homme et il ne tenait pas à lui rappeler les tensions non résolues entre lui et son petit-fils défunt.

Ardmore se retourna vers lui.

— D'accord. Vous avez prouvé que Todd avait son propre ordinateur. Puisque nous n'en avons pas trouvé dans son appartement après sa mort, il a dû le détruire avant de se suicider.

— Qui avait accès à son appartement ?

— Todd avait une clé et moi l'autre. Quand les médecins nous ont appris qu'il n'y avait plus aucun espoir, j'ai fait transporter ses affaires ici. Vance à dit à Nancy de prendre ce que nous voulions et de nous débarrasser du reste.

— Vous n'êtes pas allé vous-même à l'appartement ?

— Non. Vance et Nancy y sont allés ensemble.

— Dans ce cas, M. Tishman aurait pu prendre l'ordinateur sans que vous soyez au courant.

Ardmore retourna vers son bureau et se pencha sur l'Interphone.

— Ma femme est-elle rentrée ?
— Elle arrive juste, monsieur, répondit une voix féminine.
— Voulez-vous lui demander de venir dans mon bureau ?
— Oui, monsieur.
Quelques instants plus tard, Nancy entrait dans la pièce. Saluant David d'un signe de tête, elle se hâta vers son mari.
— Quand tu es allée avec Vance à l'appartement de Todd, qu'a-t-il emporté avec lui ? demanda celui-ci sans préambule.
— Juste quelques photos qu'il a glissées dans une mallette noire, répondit-elle. Pourquoi me demandes-tu ça ?
— C'est M. Chevallier qui pose les questions.
— Madame Ardmore, intervint celui-ci, M. Tishman avait-il emmené cette mallette avec lui ?
— Non. Il l'a sortie d'un tiroir du bureau de Todd.
— Pourrait-il s'agir d'un ordinateur portable dans un étui noir ?
— Je ne sais pas. Je ne connais rien aux ordinateurs.
David la remercia d'un sourire avant de se retourner vers son mari.
— Si Vance voulait l'ordinateur, répliqua Ardmore, il n'avait aucune raison de se cacher. Todd était son fils, il avait le droit de prendre tout ce qu'il souhaitait.
— Si vous aviez su que Todd laissait un ordinateur, auriez-vous souhaité voir ses dossiers privés et sa correspondance ?
— Oui, bien sûr, admit le vieil homme. Mais je ne vois pas pourquoi Vance aurait hésité à me les montrer.
— Je doute qu'il tienne à vous montrer ce que son fils écrivait à son sujet. Vous savez, je suppose, que Todd le détestait ?
— Ils n'ont pas toujours été d'accord sur les orientations du laboratoire, assena Ardmore, mais Todd respectait son père.
Sans un mot, David lui tendit les deux messages écrits par Todd au sujet de Tishman. Il les parcourut et son visage se ferma encore davantage.

— Vous êtes au courant, pour les Kemp, dit-il en laissant choir les papiers sur son bureau.

— Oui. Et les Kemp sont au courant pour Susan et le bébé. M. Tishman les a mis au courant.

Ardmore secoua brusquement la tête.

— Il ne ferait pas ça. Il ne me ferait pas ça.

David ne se donna pas la peine de discuter.

— Dans l'un des derniers messages, Todd indique qu'il vient de recevoir de l'argent. D'où venait-il ?

— Depuis trois ans, il investissait la quasi-totalité de son salaire dans une affaire avec le petit Sterne. Si je comprends bien, l'entreprise commençait à faire des bénéfices.

— Les profits ne seraient pas tombés avant la fin du mois de juin. Todd semblait dire qu'il possédait déjà cet argent.

— Eh bien, il ne l'a obtenu ni de moi, ni de Vance. Nous estimons tous deux que les nouvelles générations doivent faire leur propre fortune.

Mal à l'aise, il esquissa un geste vers les deux messages en ajoutant :

— Todd était juste fâché avec son père, parce que celui-ci soutenait mes convictions.

David décida d'avancer dans une autre direction.

— Comment M. Tishman s'est-il retrouvé en fauteuil roulant ? demanda-t-il.

— Il a fait une mauvaise chute il y a une quinzaine de jours. Une hernie discale.

Une quinzaine de jours ? Mais dans ce cas, Tishman avait l'usage de ses deux jambes au moment de l'explosion du labo ?

— C'est tout à fait temporaire, ajoutait Nancy. Le médecin dit qu'il marchera bientôt.

David réfléchit intensément à ces nouvelles données. De nouveaux soupçons commençaient à prendre forme.

— Qui est le médecin de M. Tishman ? demanda-t-il.

— Comment voulez-vous que je le sache ? riposta Ardmore.

— Autrement dit, vous n'avez pas parlé vous-même à un médecin. M. Tishman vous a tout expliqué quand il est arrivé en fauteuil roulant il y a une quinzaine de jours.

— Vous cherchez à suggérer que vous ne le croyez pas ? demanda Ardmore, incrédule.

— Monsieur Ardmore, la vie de Susan et celle de votre arrière-petit-enfant sont en jeu. Je vous demande de bien réfléchir avant de me répondre. M. Tishman aurait-il quelque chose à gagner si Todd et Susan disparaissaient tous les deux ?

— Absolument pas, trancha Ardmore. Cette suggestion est grotesque.

David laissa échapper un soupir de frustration. La lettre du soi-disant suicidé, le fait que Tishman se soit probablement emparé de l'ordinateur de Todd, la problématique hernie discale… Tous ces éléments pointaient dans la même direction ! Il devait bien y avoir un mobile — mais lequel ?

— Oh, seigneur, s'écria tout à coup Nancy. Je ne peux pas croire… Non, il ne ferait pas ça… Oh, Seigneur !

— J'ai l'impression d'avoir photographié chaque otarie, phoque et loutre de mer du Sound, haleta Ellie en traînant son matériel photo sur la jetée. Et toi, tu as bien travaillé ?

— En tout cas, j'ai usé toutes mes pellicules, répondit Susan d'une voix tout aussi épuisée. Dis donc, tu n'as guère séché. Tu dois être gelée ?

— Je suis trempée et complètement frigorifiée. Si jamais je retrouve l'orque qui a heurté le bateau, je lui colle mon poing dans la figure. Où est Barry ?

— Il voulait nous appeler un taxi mais son portable n'arrêtait pas de couper. Il fait un tour dans le quartier pour chercher une cabine. Tiens, prends ma veste.

— C'est gentil, mais si tu crois qu'une grande fille comme moi va rentrer dans ta taille fillette… Et puis, je ne peux pas la mettre par-dessus des habits mouillés.

— Le taxi arrive, lança Barry en les rejoignant au trot. J'ai passé un coup de fil au bureau et il y avait un message pour toi, Susan. David Chevallier te demande de l'attendre ici, sur la jetée. Il passe te prendre.

— Merci, Barry !

En fin de compte, elle n'avait pas réussi à le joindre de toute la journée, à cause de la mauvaise réception du portable. C'était un soulagement de savoir qu'il s'était renseigné au journal et qu'on l'avait mis au courant de cette sortie imprévue.

— Tu ressembles à un rat noyé, disait Barry à Ellie.

Galamment, il retira son gros pull et le lui tendit.

— Je ne peux pas me changer en public, protesta-t-elle en claquant des dents. De toute façon, si le taxi arrive…

— Je vais me mettre devant toi et ouvrir ma veste, coupa Susan. Barry, tu bloques la vue de derrière elle. Voilà, parfait. Bon, personne ne peut te voir, dépêche-toi d'enfiler ce pull.

Ellie hésita encore quelques instants, frissonnante, puis se décida brusquement. Arrachant son corsage et son soutien-gorge, elle enfila le pull de Barry.

— Oh, ça fait du bien, soupira-t-elle en le serrant autour d'elle.

Elle se retourna vers Barry pour lui sourire.

— Merci ! Je t'embrasserai tout à l'heure.

Il la dévisagea plusieurs secondes avant de murmurer :

— Il ne faut jamais laisser les dettes s'accumuler.

La happant dans ses bras, il se mit à l'embrasser avec conviction… Enchantée, Susan constata que son amie participait avec enthousiasme ! Enfin, ils se décidaient !

Lorsque le taxi se présenta, elle aida le chauffeur à charger le matériel photo dans le coffre, poussa discrètement ses collègues enlacés sur la banquette arrière et donna l'adresse du journal. C'était aussi bien que David vienne la chercher, elle ne tenait pas à partager ce trajet avec eux ! En regardant la voiture s'éloigner, elle poussa un soupir de soulagement. Ses deux amis s'étaient enfin trouvés. Cette histoire s'annonçait bien, très bien même !

Perdue dans ses pensées, elle ne remarqua pas qu'on la rejoignait avant qu'une voix ne jette :

— Pas un mot, pas un geste, ou je tire.

15.

David se trouvait dans le bureau de Jared lorsque Jack téléphona.

— Susan n'est pas revenue d'une sortie photo, un truc de dernière minute aux îles San Juan, dit-il de but en blanc. Quelqu'un a laissé un message de ta part au journal, disant que tu la prendrais sur la jetée.

Un vertige de terreur le saisit.

— Tishman a laissé ce message, souffla-t-il.

— Le majordome de Tishman affirme qu'il est au lit avec la grippe, relaya Jared en couvrant de sa main le combiné de l'autre poste.

— Dis-moi ce que je dois faire, reprit Jack à son oreille.

— Vois si tu peux retrouver leur piste, lança David. Si tu as quoi que ce soit, rappelle-nous sur le portable de Jared. Il faut libérer cette ligne au cas où il chercherait à nous contacter.

Coupant la communication, il se retourna vers Jared.

— J'ai dit au majordome de Tishman que je voulais passer, dit celui-ci, et il a répondu qu'il ne laisserait entrer personne sans mandat.

— Je n'ai pas besoin d'un mandat pour savoir que Tishman n'y est pas, répliqua David. Il est parti aux trousses de Susan. Il l'a peut-être déjà rattrapée.

Il appela le portable de Susan. Les sonneries se succédèrent dans le vide, et la terreur s'installa plus profondément en lui.

Susan sentit le portable vibrer sous sa veste. Allongée à l'arrière de la camionnette noire, elle tira sur ses liens. Ses chevilles étaient bel et bien immobilisées — mais au moment où Tishman attachait ses mains derrière elle, elle avait réussi à les crisper ; il y avait un peu de jeu dans la corde. Si seulement elle réussissait à faire glisser le portable le long de sa ceinture…

— Vous ne pouvez pas vous libérer, dit Tishman.

Elle vit qu'il la surveillait dans le rétroviseur. Dans un dernier effort, elle se tourna sur le flanc, face à lui. Le portable se trouvait maintenant au creux de son dos, bien caché… mais la vibration avait cessé. Elle tordit les poignets, réussit à glisser les mains sous sa veste, sans se préoccuper de la corde qui éraflait sa peau. Elle devait atteindre l'appareil !

— Vous n'avez pas besoin du fauteuil roulant ou de vos grosses lunettes, dit-elle pour distraire son attention.

— Les lunettes sont nécessaires quand je ne porte pas mes lentilles, repartit-il tranquillement. Mais vous avez raison pour le fauteuil roulant. Malin, non ?

Elle préféra ne rien répondre. Sa main se retournait, centimètre par centimètre — enfin, elle toucha l'étui souple du portable. Retenant son souffle, elle parvint à glisser les doigts à l'intérieur, effleura le clavier. Où se trouvait la touche que David avait programmée avec son numéro ? Si elle en enfonçait une autre, tous ses efforts n'auraient servi à rien ! Elle visualisa le cadran, choisit une touche et la pressa.

— Je ne comprends pas pourquoi vous faites ça, dit-elle tout haut. Qu'espérez-vous obtenir ?

Il fallait le faire parler. *Si* elle avait pressé la bonne touche, et *si* David décrochait, elle devait lui fournir le plus d'informations possibles.

— Enfin, c'est évident ! L'argent du fidéicommis !

— Mais vous avez de l'argent.

— J'avais de l'argent, corrigea-t-il. Quand Ardmore a racheté ma compagnie, elle était en train de couler. L'argent d'Ardmore l'a redressée mais le salaire du P.-D.G. ne se monte qu'à cinq cent mille dollars par an. A peine de quoi survivre.

Dire qu'il y a des gens obligés de se contenter de si peu... S'interdisant tout commentaire sarcastique, elle attendit la suite. Il était lancé, maintenant.

— Quand ma petite femme m'a proposé les intérêts de son fidéicommis pour m'abstenir de consommer notre mariage, j'ai été ravi d'accepter.

— Elle vous a payé pour ne pas coucher avec elle ?

— Un arrangement tout à fait satisfaisant. J'ai été discret avec mes amies, et je lui ai donné mon nom et toute la liberté qu'elle désirait. Et voilà que du jour au lendemain, après tout ce temps, elle m'annonce qu'elle veut divorcer pour pouvoir être avec Kemp ! Elle allait me couper les fonds !

Son incrédulité n'était rien à côté de celle que ressentait Susan en l'écoutant.

— J'ai accepté. Elle a cru qu'elle avait ma bénédiction. Elle était si soulagée qu'elle m'a tout raconté : ses trajets en avion vers sa petite auberge, le café qu'elle partageait avec la pilote. L'un des avantages d'être à la tête d'une compagnie chimique, c'est qu'on a accès à tous les produits. Je me suis glissé dans la cuisine avant son dernier voyage et j'ai ajouté quelques ingrédients à son Thermos. Et ensuite, je l'ai envoyée rejoindre l'homme qu'elle aimait.

Il souriait, le monstre ! Puis, reprenant son air outré, il frappa le volant du plat de la main.

— C'est seulement après que j'ai découvert que c'était Todd qui lui succédait, et pas moi. Alors bien sûr, il a fallu que je me débarrasse de lui.

Il venait d'avouer avec une désinvolture effroyable le meurtre du garçon qu'il avait élevé comme son fils !

— Et ensuite, il y avait encore vous, enceinte de son gosse. J'aurais préféré vous avoir la première fois, au refuge naturel ; Ardmore n'était pas encore sûr, pour le bébé. Enfin bon, ça fonctionnera tout aussi bien de cette façon.

Ravalant la peur qui lui serrait la gorge, elle lança :

— Ils sauront que c'est vous, Vance.

— Un type en fauteuil roulant ? Qui de plus se trouve au lit avec une mauvaise grippe ? Non, ils vont croire que c'est Carl Kemp. Nous sommes en train de rouler vers son atelier. Lui, il pense que je passe le voir en ami, avec un pack de bières bien fraîches. Celle que je vais lui donner contient un produit, ils le trouveront inconscient auprès de votre cadavre.

— Alors, vous avez parlé de moi aux Kemp uniquement pour que tout retombe sur Carl ?

Il la glaça d'un nouveau sourire.

— Normalement, il ne se souviendra de rien au réveil — et surtout pas de mon passage. Un garçon si vulgaire, si rageur. Les prisons sont remplies de types dans son genre, il ne se sentira pas seul quand on l'enfermera à perpétuité.

Il semblait avoir pensé à tout ! Les minutes passaient, les kilomètres défilaient et elle avait beau chercher la faille dans son plan, elle ne trouvait rien. Cela ne servirait à rien non plus de supplier, d'argumenter — elle ne réussirait pas à le convaincre de renoncer à cette folie.

La camionnette quitta la voie express pour s'engager sur une petite route mal entretenue. Secouée, heurtée, elle lutta désespérément pour protéger le portable. Pourvu, pourvu que la ligne soit ouverte !

— Nous serons sur le petit terrain vague derrière l'atelier dans quelques minutes, dit Tishman. Je ferai ça vite. Un coup sec à l'arrière du crâne, comme pour Todd. Il n'a pas souffert, Molly non plus. Je suis un homme civilisé.

Civilisé… pensa-t-elle, médusée. La camionnette plongea dans un profond nid-de-poule ; soulevée, elle rebondit sur le dos — et sentit le portable s'écraser sous elle.

Cette fois, tout était perdu. Personne ne viendrait l'aider, elle allait mourir. Les larmes lui piquèrent les yeux. Elle ne pourrait donc jamais serrer son bébé dans ses bras ? En silence, elle lui envoya une bouffée de tendresse. Sa présence avait été un peu comme un rêve. Un rêve merveilleux, elle l'avait aimé à chaque seconde…

David prendrait soin de Chou… David ! Pourquoi ne lui avait-elle pas dit qu'elle l'aimait quand elle le pouvait encore ? Cela ne semblait plus très important, maintenant, qu'il ne puisse pas l'aimer en retour.

La camionnette ralentit, s'arrêta en se balançant. Un nuage de poussière se déploya devant la vitre — patiemment, Tishman attendit qu'il retombe. Enfin, il tendit sa main gantée, saisit la barre à mine posée sur le siège du passager, ouvrit sa portière. Elle entendit son pas lourd écraser le gravier tandis qu'il contournait la camionnette. Le panneau coulissa et elle le vit paraître à contre-jour, les yeux baissés vers elle, le visage calme, parfaitement détaché. Le fait de les tuer, elle et son bébé, ne signifiait rien pour lui !

Une colère folle explosa en elle. Elle ne se laisserait pas faire, elle lutterait. Pas question de faciliter la tâche de cet homme *civilisé*. Elle replia les jambes, tremblante d'énergie contenue. Quand il se pencha vers elle pour la retourner sur le ventre, elle rua de toutes ses forces. *Pour toi, mon cœur !* lança-t-elle à son bébé.

Le souffle de l'homme jaillit dans un grincement bizarre ; plié en deux, il recula de plusieurs pas. Comme un serpent, elle se tortilla vers la porte ouverte. Il se redressait déjà ; plongeant à demi à l'intérieur, il s'empara d'elle, l'attira vers lui d'une secousse brutale. Son dos heurta le siège avant et le choc lui coupa le souffle.

Muette, étourdie, elle regarda son visage tordu de rage, si proche du sien, le vit lever sa barre à mine. Un craquement lui déchira les oreilles, puis un autre. Le corps entier de Tishman tressauta, son expression se fit vide, son regard se remplit d'une stupéfaction absurde. La barre à mine glissa de sa main dans la poussière, il bascula et disparut.

Il n'était plus là. Il n'y avait que le grand carré vide de la portière. Etourdie, désorientée, elle ferma les yeux, chercha à reprendre son souffle. Il lui semblait entendre des voix, sentir des mains tirer sur les cordes qui retenaient ses bras et ses chevilles — mais tout semblait si irréel qu'elle ne pouvait en être sûre.

Puis deux bras solides l'entourèrent et une voix familière lui souffla à l'oreille :

— C'est fini. Tu es en sécurité. Je suis là.

— David, soupira-t-elle.

Une vague noire bienfaisante s'abattit sur elle et elle se laissa emporter.

— Elle a des bleus, des éraflures aux chevilles et surtout aux poignets — mais à part cela, elle va très bien et le bébé aussi, annonça le médecin des urgences.

David se sentit vaciller sous le coup du soulagement.

— Je peux la voir ?

— Elle n'a pas cessé de vous demander. Entrez ! Dès qu'on aura complété les formulaires, elle pourra rentrer chez elle.

David entra dans la salle d'examen. Habillée de pied en cap, Susan était assise sur le bord d'une table couverte d'un drap blanc. Sans avoir conscience de bouger, il se retrouva près d'elle, la prit dans ses bras. Quelques instants plus tard, le médecin poussa la porte, leur jeta un bref regard, posa les formulaires signés bien en vue et ressortit en refermant doucement la porte derrière lui.

— Ça devient une habitude pour toi de me sauver la vie, murmura Susan.

— Tu t'es sauvée toi-même. Si tu n'avais pas réussi à m'appeler sur le portable et à faire parler Tishman, nous n'aurions jamais su où il t'emmenait.

— Tishman est mort, n'est-ce pas ?

Il repoussa une mèche de sa joue et hocha la tête.

— Nous étions trop loin pour pouvoir l'arrêter autrement…

Elle eut un frisson violent.

— Il les a tous tués pour l'argent.

— Je sais, murmura-t-il en la berçant contre lui. Nancy Ardmore nous a enfin parlé de ce fidéicommis cet après-midi. Les Ardmore ont dû écouter l'enregistrement de ta conversation avec Tishman. C'était très dur pour eux mais dans un sens, ils sont soulagés. Ils savent que Todd ne s'est pas tué.

— Les pauvres… David, je ne peux pas accepter cet argent maintenant. Après tout ce sang versé…

— Nous trouverons un moyen de le verser à des œuvres.

— Tu ne trouves pas que je suis bête de le refuser ?

Très gravement, il plongea son regard dans le sien.

— Je crois que tu es la personne la plus intelligente que j'aie jamais rencontrée. Tu sais ce qui compte vraiment. Si tu savais comme je t'admirais, l'autre soir, en t'écoutant refuser toutes les offres que te faisait Ardmore. Tu vois plus loin que les autres parce que tu regardes avec ton cœur.

Avec précaution, il prit ses mains bandées entre les siennes, posa un baiser sur chaque paume.

— J'ai cru devenir fou en écoutant Tishman t'expliquer ce qu'il voulait faire, sans savoir si nous parviendrions à te rejoindre à temps. Et quand la communication a été coupée...

Il se tut, avala sa salive, fixa les petites mains dans les siennes. Il avait failli la perdre. Ce serait si bon de pouvoir lui dire ce qu'il ressentait...

— David ? Je t'aime.

Abasourdi, il leva la tête et vit qu'elle lui souriait.

— Susan, tu ne peux pas savoir combien j'aimerais... mais tu es trop vulnérable, je...

— Je suis tout sauf vulnérable. Je viens de regarder la mort en face, je peux bien regarder la vérité. Je te dis que je t'aime parce que c'est vrai. Je ne cacherai plus ce que je ressens, même si tu ne peux pas m'aimer.

— Si je ne peux pas... cria-t-il. Je t'aime si fort que ça me rend malade ! Comment est-ce que tu as pu en douter ?

Sa véhémence la laissa muette un instant, puis elle se mit à rire, les larmes aux yeux.

— Je ne doute plus de rien ! balbutia-t-elle.

— Tu veux savoir la vérité ? J'ai commencé à t'aimer dès le moment où tu m'as fait renverser mon café en me surprenant dans mon bureau.

— Et moi, j'ai commencé à t'aimer à Camp Long, quand j'ai compris que tu m'avais portée jusqu'à ta voiture.

— Ce sont donc mes muscles qui t'ont impressionnée.

— En fait, c'était surtout le fait que tu n'aies pas oublié mon matériel photo.

— Si je jure de toujours chérir et protéger ton matériel photo, tu veux bien m'épouser ?

Elle sentit son cœur bondir de joie.

— Quelle photographe pourrait résister à une offre pareille ? Oui, David, je veux bien t'épouser.

Il se pencha pour s'emparer de sa bouche.

— Rentrons à la maison, dit-il d'une voix un peu enrouée.

— Je ne dois pas aller faire ma déposition ?

— Jared fera traîner jusqu'à demain. Si ça se trouve, on n'aura même pas besoin de ton témoignage. Ardmore est déjà en train de tirer des ficelles pour étouffer l'affaire.

— Je n'aurais pas cru dire ça un jour, mais j'espère qu'il réussira à cacher la façon dont Tishman est mort. Je n'ai pas envie que la petite soit regardée plus tard comme une bête curieuse. Ce sera déjà assez difficile de tout lui raconter.

— La petite ? répéta-t-il.

— C'est ce qu'affirme l'échographie, confia-t-elle.

Il posa un baiser sur ses cheveux.

— Ne t'inquiète pas. Le moment venu, je régalerai notre fille de tous les détails, je lui expliquerai le courage et l'intelligence qu'a montrée son extraordinaire maman.

Notre fille, avait-il dit ? Elle se demanda s'il avait la moindre idée à quel point c'était merveilleux d'entendre cela.

Eh bien, ma jolie, on dirait que je vais tenir parole, en fin de compte. Tu auras bien deux parents !

Posant sa main sur la poitrine de David pour sentir le battement solide de son cœur, elle leva le visage vers son sourire.

— Et moi, je lui raconterai toutes les fois où son merveilleux papa est venu à notre rescousse.

Chère lectrice,

Vous nous êtes fidèle depuis longtemps?
Vous venez de faire notre connaissance?

C'est pour votre plaisir que nous avons imaginé un rendez-vous chaque mois avec vos auteurs préférés, vos AUTEURS VEDETTE *dans les collections* Azur *et* Horizon.

Les AUTEURS VEDETTE *vous donneront rendez-vous pour de nouveaux livres vedette.*

Pour les reconnaître, cherchez l'étoile... Elle vous guidera!

Éditions Harlequin

LE FORUM DES LECTEURS ET LECTRICES

CHERS(ES) LECTEURS ET LECTRICES,

VOUS NOUS ETES FIDÈLES DEPUIS LONGTEMPS?

VOUS VENEZ DE FAIRE NOTRE CONNAISSANCE?

SI VOUS AVEZ DES COMMENTAIRES, DES CRITIQUES À FORMULER, DES SUGGESTIONS À OFFRIR, N'HÉSITEZ PAS... ÉCRIVEZ-NOUS À:

LES ENTERPRISES HARLEQUIN LTÉE.
498 RUE ODILE
FABREVILLE, LAVAL, QUÉBEC.
H7R 5X1

C'EST AVEC VOS PRÉCIEUX COMMENTAIRES QUE NOUS ALLONS POUVOIR MIEUX VOUS SERVIR.

DE PLUS, SI VOUS DÉSIREZ RECEVOIR UNE OU PLUSIEURS DE VOS SÉRIES HARLEQUIN PRÉFÉRÉE(S) À VOTRE DOMICILE, NE TARDEZ PAS À CONTACTER LE SERVICE D'ABONNEMENT; EN APPELANT AU (514) 875-4444 (RÉGION DE MONTRÉAL) OU 1-800-667-4444 (EXTÉRIEUR DE MONTRÉAL) OU TÉLÉCOPIEUR (514) 523-4444 OU COURRIER ELECTRONIQUE: AQCOURRIER@ABONNEMENT.QC.CA OU EN ÉCRIVANT À:

ABONNEMENT QUÉBEC
525 RUE LOUIS-PASTEUR
BOUCHERVILLE, QUÉBEC
J4B 8E7

MERCI, À L'AVANCE, DE VOTRE COOPÉRATION.

BONNE LECTURE.

HARLEQUIN.

VOTRE PASSEPORT POUR LE MONDE DE L'AMOUR.

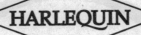

Composé et édité
PAR LES ÉDITIONS HARLEQUIN
Achevé d'imprimer en décembre 2003

BUSSIÈRE
GROUPE CPI

à Saint-Amand-Montrond (Cher)
Dépôt légal : janvier 2004
N° d'imprimeur : 37298 — N° d'éditeur : 10301

Imprimé en France